Madeleine Banier

Puppen aus Wolle

Fotos: Yves Jannès

Verlag J. F. Schreiber
Österreichischer Bundesverlag

Inhalt

7300 Esslingen, Postfach 285.
Satzherstellung: Karl Lihs, Ludwigsburg
ISBN 3-480-50001-3 (JFS)
ISBN 3-215-01777-6 (ÖBV)

Der Verlag dankt der Firma
Schachenmayr Wolle, Kammgarn-
spinnerei Schachenmayr,
Mann & Cie. GmbH, 7335 Salach,
für die freundliche Unterstützung bei
der Bearbeitung dieses Buches.
Printed in Italy

Es gibt wunderschöne Spielsachen zu kaufen. Aber es gibt auch Spielsachen, die man selbst basteln kann. Natürlich sind sie nicht immer ganz ohne Fehler, aber vielleicht mögen wir sie gerade deshalb oft tausendmal lieber als alle anderen Spielsachen.

Unsere Wollepuppen sehen lustig aus und sind ganz einfach herzustellen. Und wenn es euch nicht gleich beim ersten Mal gelingt, ihnen eine gute Form zu geben, dann müßt ihr daran denken, daß sie eure eigene lustige Schöpfung sind.

Es gibt so viele Arten zu stricken oder zu häkeln! Wenn ihr eine andere Wolle nehmt oder den Faden ein bißchen kürzer abschneidet, sieht die Puppe gleich ganz anders aus als auf dem Bild. Und schon habt ihr eurer Puppe ein eigenes Aussehen gegeben.

Kurze, einfache Anleitungen, Zeichnungen und bunte Bilder werden euch bei der Arbeit helfen. An Material braucht ihr nur verschiedene Nadeln – und natürlich Wolle. In irgendeiner Schublade findet ihr bestimmt alte Reste von einem längst vergessenen Pullover.

Auf geht's, an die Arbeit! Viele Puppen mit ihren Kleidern, ihren Lieblingstieren und ihren Geschwistern aus der ganzen Welt warten darauf, daß ihr ihnen eine lustige Form gebt.

Sie werden euer Zimmer schmücken, ihr könnt sie anziehen, wie es euch gerade gefällt, sie werden mit euch in der Manteltasche auf die Reise gehen . . .

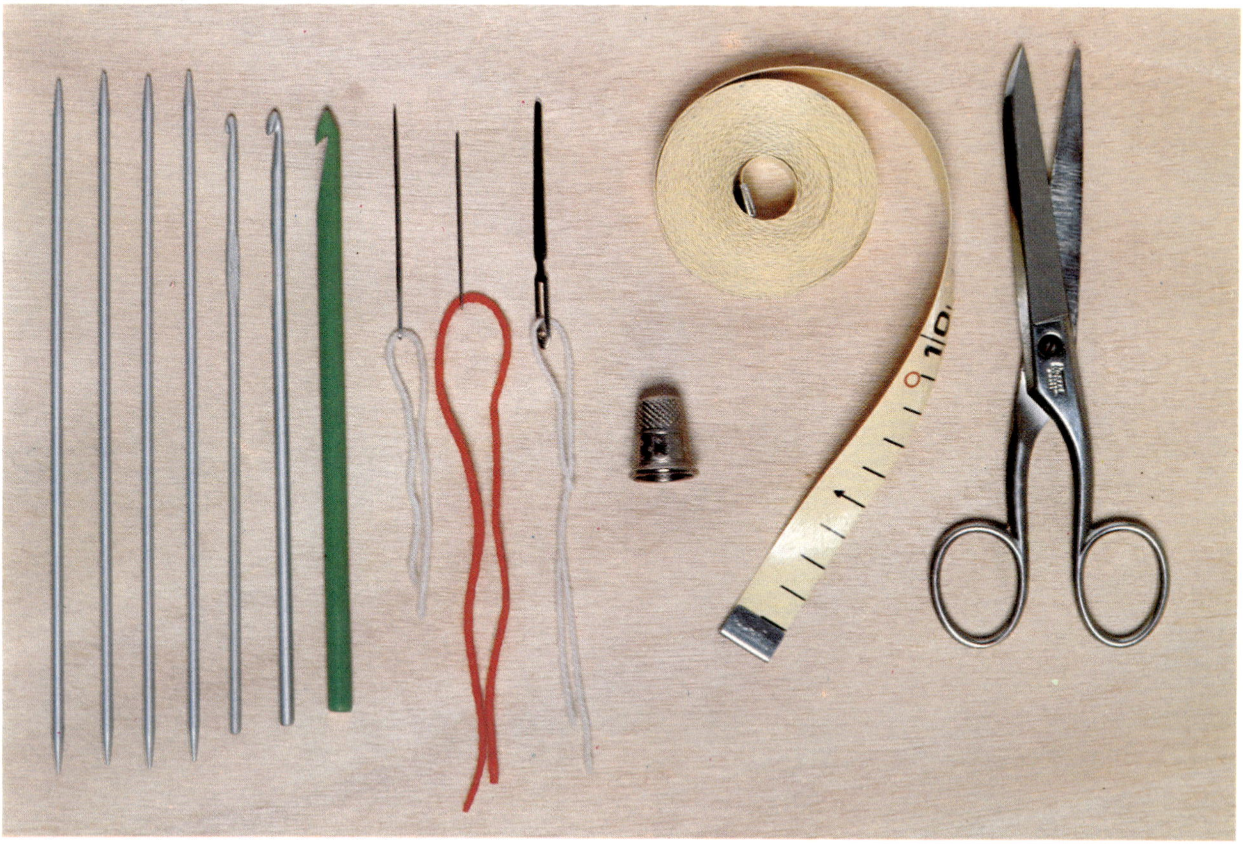

Die Schnittmuster für Dollys Kleider sind ganz einfach nachzuarbeiten. Wir haben für euch Zeichnungen gemacht und die Anleitungen gleich daneben geschrieben. Immer von unten nach oben arbeiten. So müßt ihr nicht erst langweilige und schwer verständliche Erklärungen durchlesen. Die Nähte macht ihr mit kleinen Stichen von links.

Das Material

Was ihr braucht, ist nicht sehr teuer:
Stricknadeln (2 Spiele mit 5 Nadeln ohne Kopf, einige Paare Schnellstricknadeln in verschiedener Stärke) und verschieden starke Häkelnadeln. Es ist immer gut, wenn ihr ein paar Stricknadeln übrig habt. Ihr könnt dann rundstricken oder sie dienen als Hilfe, wenn auf einer Nadel zu viele Maschen sind.
Außerdem braucht ihr dicke Stopfnadeln mit großem Öhr, damit das Einfädeln leichter geht.
Am Anfang jeder Erklärung findet ihr unter „Material" die Stärke der Stricknadeln oder Häkelnadeln angegeben.
Ihr müßt dringend eine gute Schere haben, die einen Wollstrang sauber durchschneidet.
Natürlich könnt ihr jedes beliebige Material verwenden: weiche Wolle, matte oder glänzende Baumwolle oder Kunstfasern in leuchtenden Farben.

Stricktechniken

Glatt rechts: In der Hinreihe rechte Maschen, in der Rückreihe linke Maschen stricken.

Kraus: In Hin- und Rückreihe rechte Maschen stricken.

Gerippt: Eine Masche rechts, eine Masche links im Wechsel stricken.

Doppeltes Abnehmen: Eine Masche abheben, die folgenden beiden Maschen rechts zusammenstricken, dann die abgehobene Masche darüberziehen.

Der Anfang des Strickstückes:
Der Anschlag
Mit dem Daumen der linken Hand bildet ihr eine Schlinge und legt sie auf eine Nadel, die ihr in der rechten Hand haltet (Foto 1). Faden anziehen. Für die weiteren Maschen bildet ihr immer mit dem Daumen der linken Hand eine einfache Schlinge, durch die ihr den Faden des Knäuels zieht, der über eurem Zeigefinger liegt (Foto 2).
Die rechte Masche: Stecht mit der Nadel der rechten Hand in die Masche, die auf der Nadel der linken Hand liegt und zieht den Faden des Knauels, der über eurem linken Zeigefinger liegt, durch die Schlinge und laßt diese Masche auf die Nadel der rechten Hand gleiten (Foto 3).
Die linke Masche: Den Faden des Knäuels vor die linke Nadel legen, dann mit der rechten Nadel von hinten die Masche auf der linken Nadel und den davorliegenden Faden auffassen, dann den Faden, der auf dem Zeigefinger liegt, von hinten nach vorne um die Nadel der rechten Hand legen und durch die Masche ziehen, die neue Masche auf die rechte Nadel gleiten lassen (Foto 4).

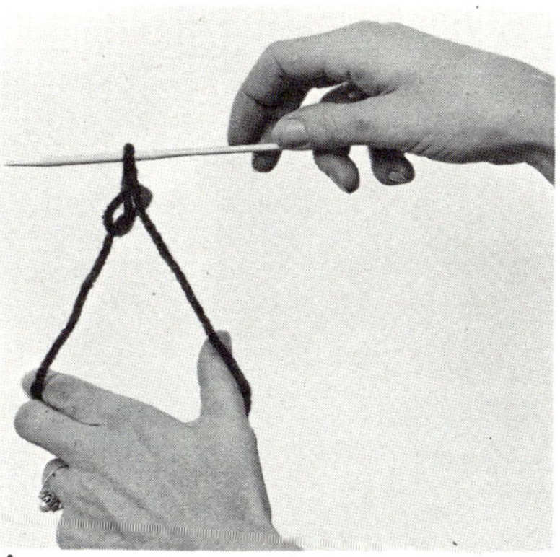

1

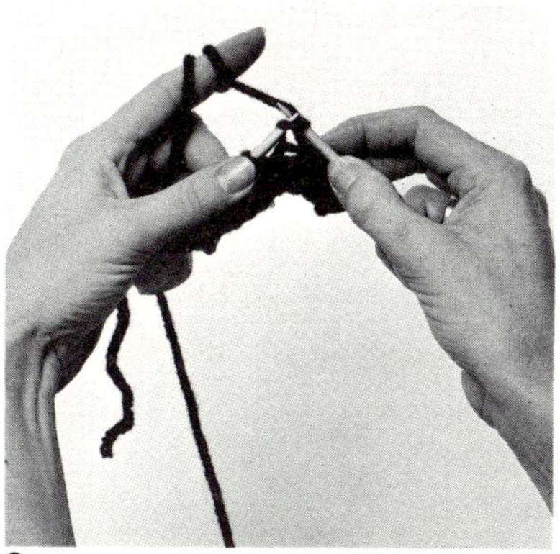

3

2

4

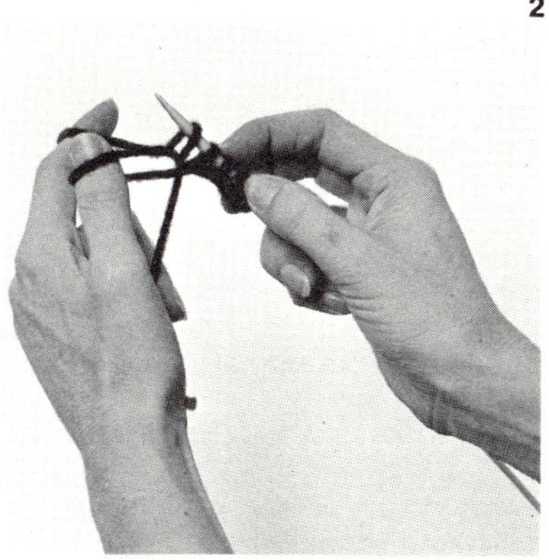

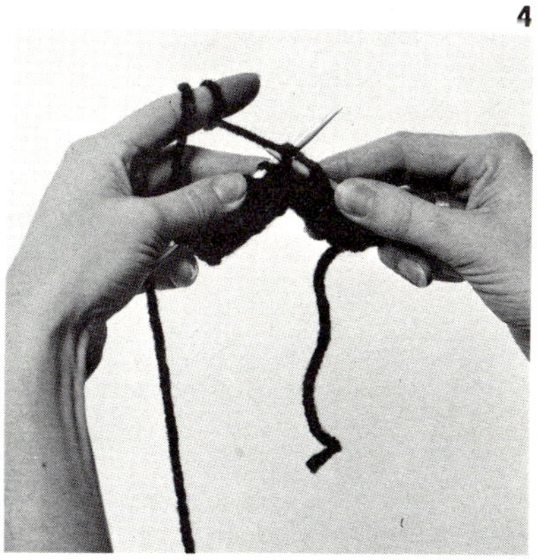

Dolly

Dolly

Ich heiße Dolly. Auf dieser Seite steht genau, wie man mich strickt. Sucht eine besonders schöne Wolle aus, damit ich recht weich werde und mich an den Hals meiner zukünftigen Mutti kuscheln kann.

Material: 70 g weißes mittelstarkes Garn, davon 30 g zum Stricken und 40 g zum Ausstopfen der Puppe; 10 g kupferfarbenes Garn derselben Qualität; ein blauer, ein brauner, ein roter, ein violetter Baumwollfaden; zwei Spiele Stricknadeln Nr. 3; eine Sticknadel; eine Stopfnadel.

Muster: glatt rechts (siehe Seite 8).

Ihr beginnt mit einem Bein (Foto 1). Auf jeder der 3 Nadeln schlagt ihr 6 Maschen an, und mit der 4. Nadel strickt ihr immer im Kreis lauter rechte Maschen. Seht ihr, so einfach ist das! Ihr strickt jetzt 40 Runden. Dann macht ihr mit den anderen 4 Stricknadeln das zweite Bein genau wie das erste (Foto 2). Aufgepaßt, zählt genau die Runden, damit Dolly nicht hinken muß!
Jetzt könnt ihr anfangen, den Körper zu stricken. Dafür nehmt ihr die Maschen der zwei Beine auf 3 Nadeln und fügt im Schritt auf jeder Seite 3 Maschen ein (Foto 3).
Und so geht das vor sich:
Strickt die letzten 2 Maschen von einer Nadel ab. Dann schlagt ihr die 3 Maschen für den Schritt auf und strickt beim nächsten Bein von der 1. Nadel alle 6 Maschen und von der 2. Nadel nur 3 Maschen ab. Jetzt habt ihr 14 Maschen auf einer Nadel. Auf eine andere Nadel strickt ihr die 3 restlichen Maschen, die 6 Maschen der nächsten Nadel, fügt wieder 3 Maschen für den Schritt ein und strickt noch 2 Maschen vom anderen Bein ab — wieder sind es 14 Maschen. Auf die 3. Nadel strickt ihr die 2 übrigen Maschen und die 12 Maschen der beiden letzten Nadeln — das sind noch einmal 14 Maschen.
Mit diesen 42 Maschen strickt ihr 40 Runden immer rechte Maschen. Und schon habt ihr ein gutes Stück geschafft. Jetzt geht's an den Hals und den Kopf.
Für die Schultern nehmt ihr auf 3 Maschen 1 Masche ab, so daß 28 Maschen übrig bleiben. Dann strickt ihr 1 Runde mit diesen 28 Maschen und nehmt in den folgenden Runden wieder alle 3 Maschen 1 Masche ab, so lange, bis ihr noch 12 Maschen für den Hals habt. 4 Maschen bleiben auf jeder Nadel. Schnell, noch 8 Runden!
Dolly hat einen langen, schlanken Hals. Da wird sie in ihren Kleidern besonders hübsch aussehen.
Für den kleinen runden Kopf strickt ihr in der folgenden Runde jede Masche zweimal ab, die 2. Masche muß immer links gestrickt werden. Dann nehmt ihr nur noch nach jeder 2. Masche 1 Masche zu, bis ihr wieder 42 Maschen habt. Und noch einmal strickt ihr 24 Runden. Wir sind ja schon bald fertig!
Jetzt nehmt ihr wieder ab wie bei den Schultern. Wenn ihr nur noch 12 Maschen habt, fädelt ihr sie auf einen Wollfaden und laßt den Faden hängen.
Dolly erklärt euch jetzt selbst, wie es weitergeht: Meine hübschen Arme strickt ihr genau wie die Beine, nur nehmt ihr auf jede Nadel 5 Maschen — insgesamt also 15 Maschen. Nach 35 Runden nehmt ihr während zwei Runden jede 3. Masche ab, dann in der folgenden Runde jede 2. Masche und schließt die restlichen 4 Maschen.
So, jetzt sehe ich wie ein kleiner leerer Sack aus. Um mir eine ordentliche Form zu geben, nehmt ihr ungefähr 30 g weiße Wolle, zerschneidet sie und stopft mich damit aus. Dann näht ihr die Öffnungen zu und drückt mich ein bißchen, damit sich die Wolle verteilt. Die Arme werden auch noch ausgestopft und sauber angenäht. Für meine Taille zieht ihr einen weißen Faden 6 cm unterhalb der Schultern durch die Maschen. Nun schließt ihr noch meinen Kopf, indem ihr die Maschen mit dem Faden, auf dem sie hängen, fest zusammenzieht.

1

2

3

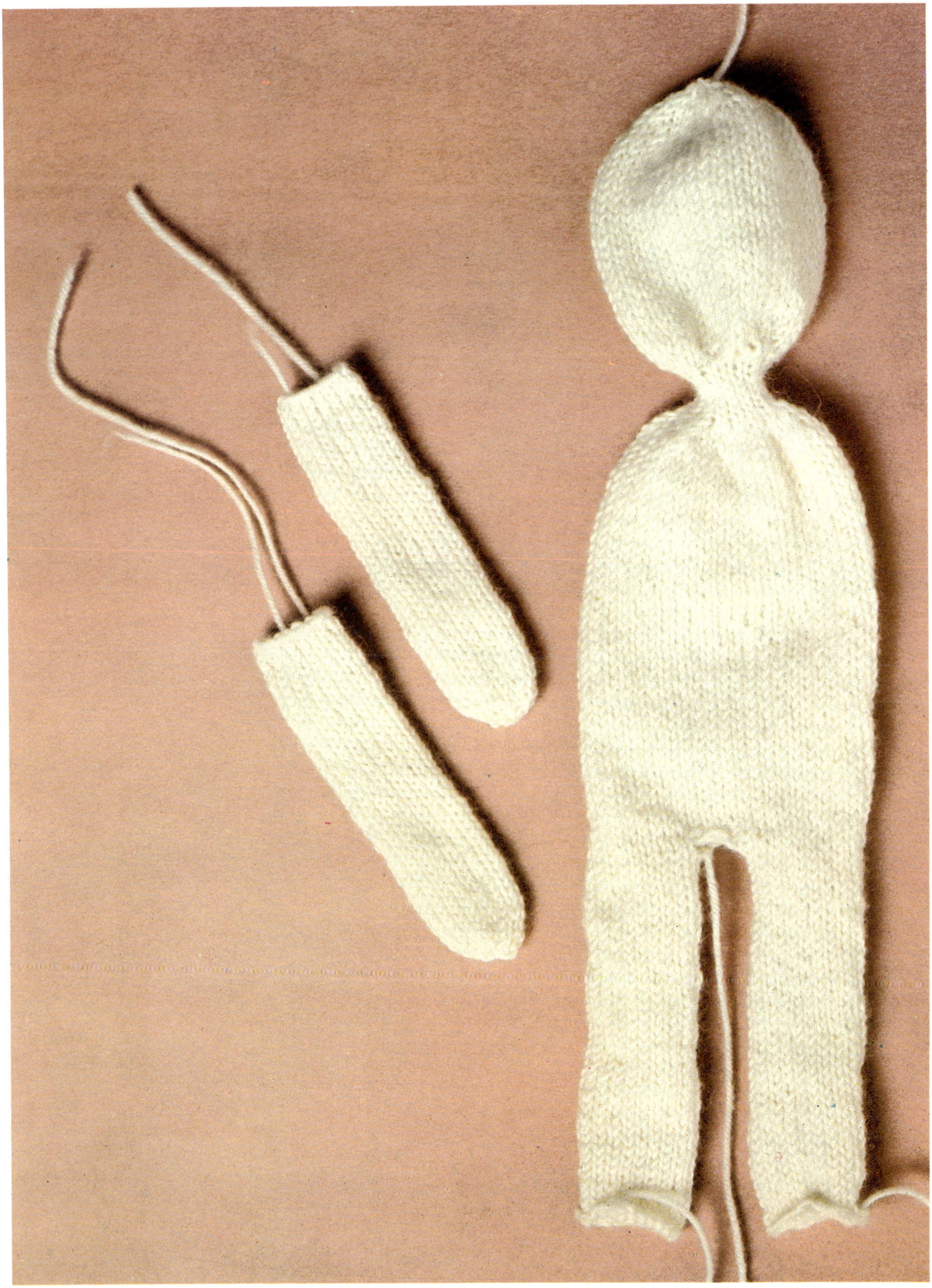

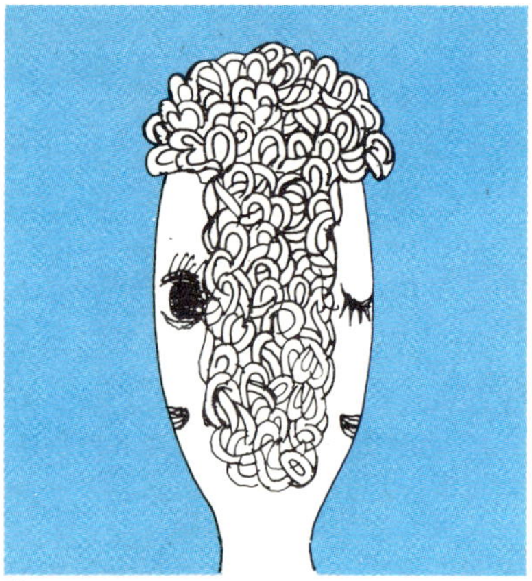

5

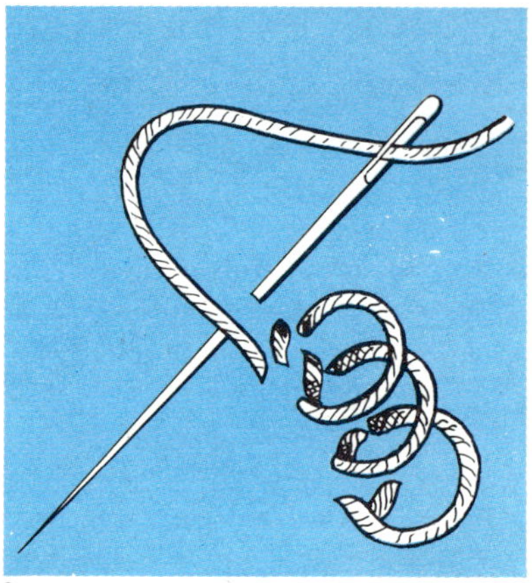

6

Und schon ist es an der Zeit, mir ein lustiges Gesicht zu machen (Zeichnung 5). Am besten beginnt ihr mit den Haaren. Mit einer Stopfnadel und langen kupferfarbenen Wollfäden näht ihr kleine Schlingen als Locken (Zeichnung 6). Damit sie halten, macht ihr vor jeder Locke einen kleinen festen Stich. Ich habe 2 Gesichter! Auf der einen Seite stickt ihr mir schöne große Augen aus blauem Baumwollfaden. Die Augenlider stickt ihr mit violettem Faden. Für den Mund verwendet ihr rote Wolle. Auf der anderen Seite schlafe ich, da stickt ihr meine langen Wimpern aus braunem Faden (Foto 8).
Schaut nur, wie hübsch ich bin! Wir werden jetzt zusammenbleiben! Aber ihr müßt mir natürlich noch schöne Kleider machen!

7

8

1

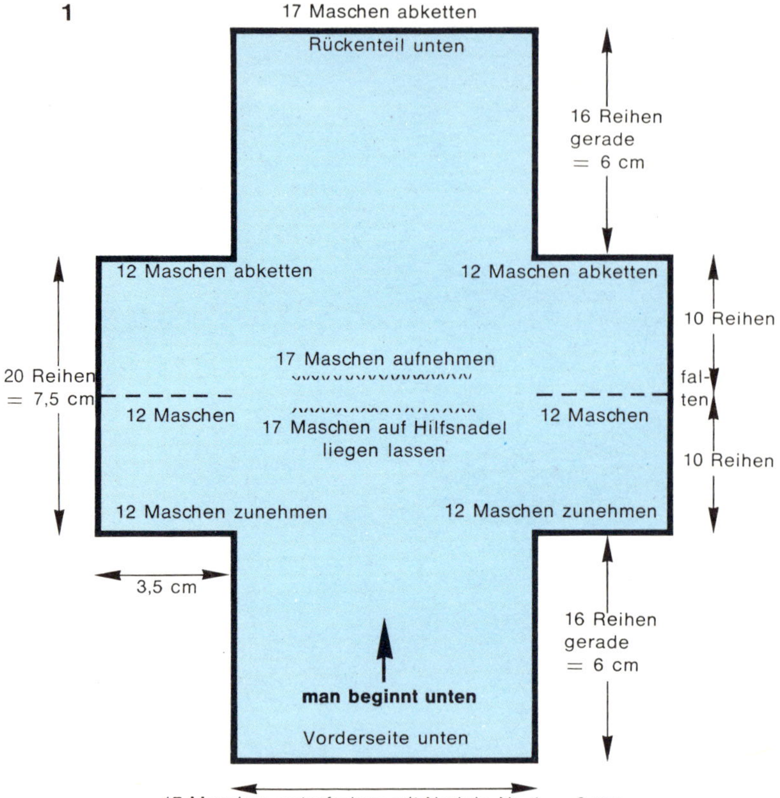

17 Maschen naturfarben mit Nadeln Nr. 4 = 8 cm
Muster: Rippen, 1 rechte Masche, 1 linke Masche

2

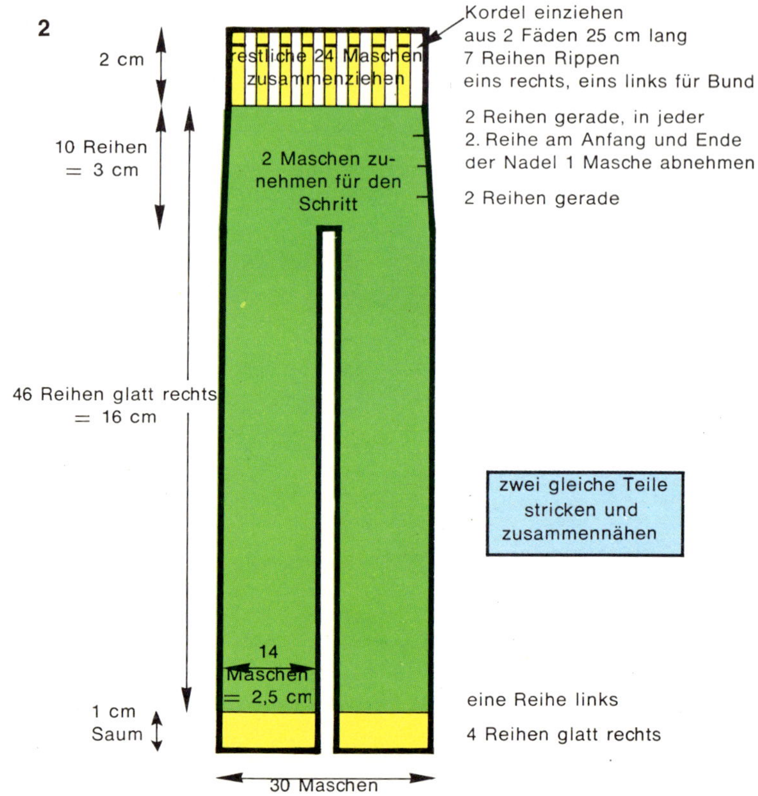

2 Nadeln Nr. 3 mit 14 Maschen = je 2,5 cm breit

Auf dem Land

Das Wochenende mag ich besonders gerne, weil ich da oft mit meiner Mama spazierengehe. Es ist kalt. Deshalb ziehe ich meinen dicken Pullover und die schöne grüne Hose an.

Material: Pullover: 20 g „Shetland" naturfarben, doppelt genommen. 2 Stricknadeln Nr. 4. Hose: 20 g mittelstarkes grünes Garn; 2 Stricknadeln Nr. 3; eine Stopfnadel.

Muster: Eine Masche rechts, eine Masche links; glatt rechts (siehe Seite 8).

Den dicken Pullover strickt ihr genau nach den Erklärungen auf Zeichnung 1. Für den vorderen Halsausschnitt nehmt ihr die 17 Maschen wieder auf, strickt 2 Reihen und kettet dann ab. Für den Rücken nehmt ihr über den 17 abgeketteten Maschen wieder 17 Maschen auf und strickt auch damit 2 Reihen, dann abketten. Zum Zusammennähen der Seiten- und Ärmelnähte faltet ihr das Stück so, daß die untere Kante des Rückens genau auf der unteren Kante des Vorderteils liegt.

Für die Hose (Zeichnung 2) strickt ihr 2 gleiche Teile und näht sie mit Steppstichen an den Seiten und im Schritt zusammen. Den Saum schlagt ihr entlang der Reihe mit linken Maschen um und näht ihn fest (Zeichnung 3). 2 Reihen unterhalb des Bundes zieht ihr die Kordel ein. Ihr stellt sie aus 2 Wollfäden von 50 cm Länge her (siehe Seite 29).

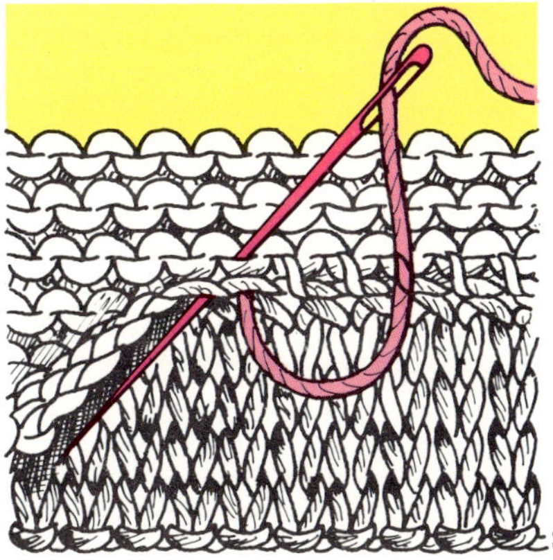

3

Im Frühling

Endlich ist der Frühling da, und das Wetter wird schön! Ich möchte gerne ein hübsches neues Kleid. Warum nicht weiß-grün? Die Bäume werden doch auch gerade grün.

Material: 20 g grünes mittelstarkes Garn; 1 Spiel Stricknadeln Nr. 3; 1 dicke Stopfnadel.

Muster: glatt rechts (siehe Seite 8).

Das Kleid fertigt ihr nach Zeichnung 1. Das Vorderteil ist genau gleich wie das Rückenteil. Wie ihr den Saum machen müßt, steht auf Seite 17. Für die Träger (Foto 2) befestigt ihr 2 grüne Wollfäden an Vorder- und Rückenteil und knotet sie auf der Schulter zusammen.
Das Höschen (Zeichnung 3) strickt man rund — genau wie Dollys Beine. Wenn ihr die Hosenbeine zusammenstrickt, fügt ihr hinten und im Schritt je 2 Maschen ein. Der Saum geht wieder wie auf Seite 17.

1

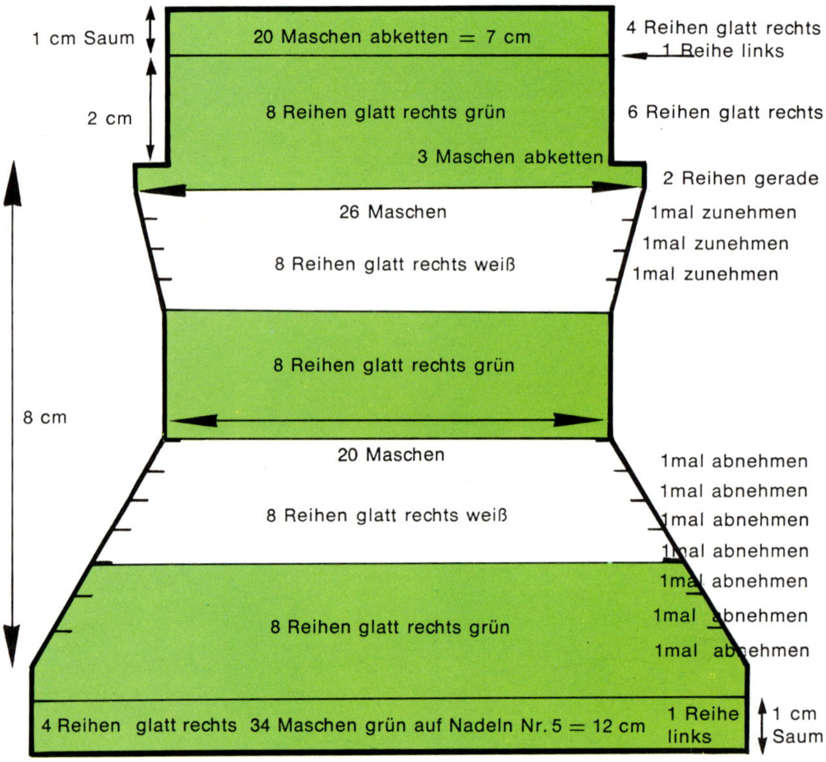

2

Die Schuhe strickt man auf 2 Stricknadeln Nr. 3 (Zeichnung 4 und Foto 5). Das doppelte Abnehmen ist auf Seite 8 erklärt. Ihr müßt immer bei den 3 mittleren Maschen abnehmen. Am Schluß faltet ihr den Schuh entlang der Linie, wo ihr abgenommen habt, und näht ihn an der Sohle und hinten zu. Wie man die Kordel macht, ist auf Seite 29 beschrieben.

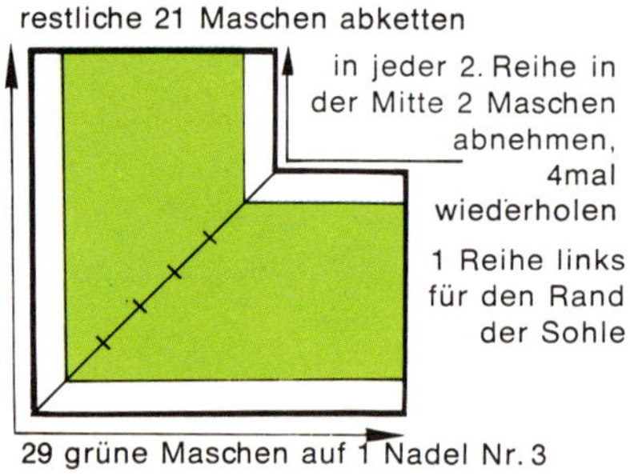

4

3

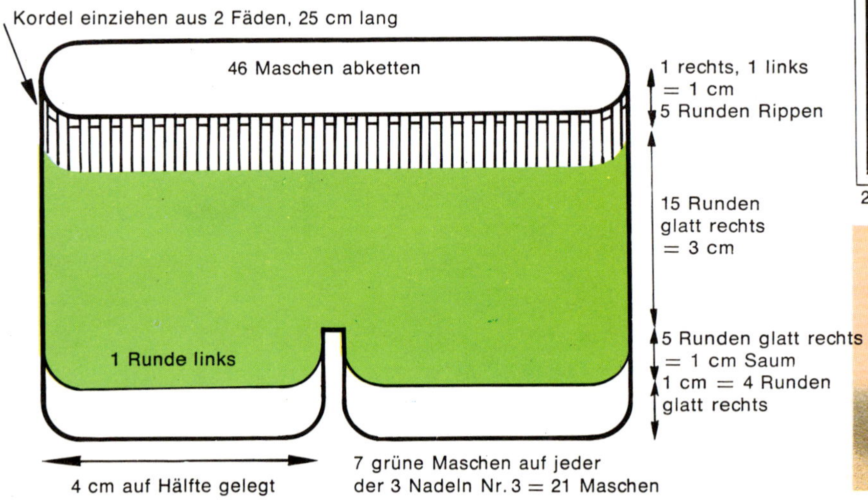

5

Beim Einkaufen

Heute nachmittag mache ich einen Einkaufsbummel. Mutti möchte bunte Wolle kaufen und Wuschelpuppen daraus basteln. Sie sagte, ich solle mein rotes Kleid anziehen und eine große Tasche mitnehmen.

Material: 25 g mittelstarkes rotes Garn; etwas weiße Wolle; 2 Stricknadeln Nr. 3; 1 Häkelnadel Nr. $3^1/_2$; 1 dicke Stopfnadel.

Muster: kraus; glatt rechts; gerippt (siehe Seite 8); Stäbchen und Luftmaschen (siehe Seiten 28 und 29).

Beim Kleid sind wieder Vorder- und Rückenteil gleich. Zum Abnehmen in der Taille (Zeichnung 1) strickt ihr 2 Maschen normal ab, dann 2 Maschen zusammen, 2 Maschen normal, wieder 2 Maschen zusammen usw.
Wenn ihr fertiggestrickt habt, näht ihr die Teile an den Seiten und auf den Schultern zusammen. Für die Tasche (Zeichnung 2) häkelt ihr zwei gleiche Vierecke und näht sie an 3 Seiten mit kleinen überwendlichen Stichen zusammen. Eine Luftmaschenkette befestigt ihr als Henkel. Die Kordel (siehe Seite 29) zieht ihr durch die 6. Reihe.
Wie ihr die Schuhe machen müßt, könnt ihr auf Seite 18 nachlesen.

1

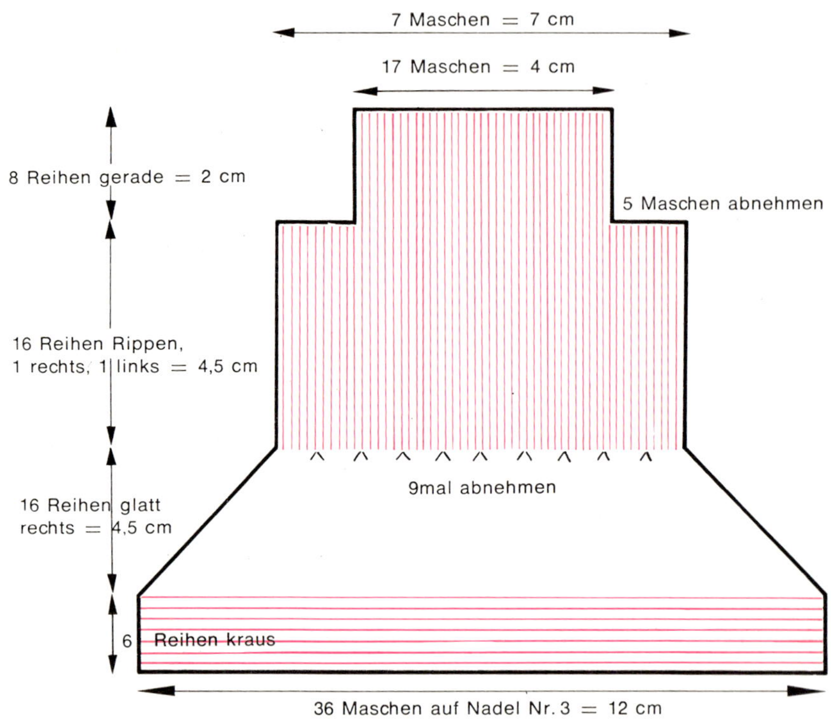

man beginnt unten

2

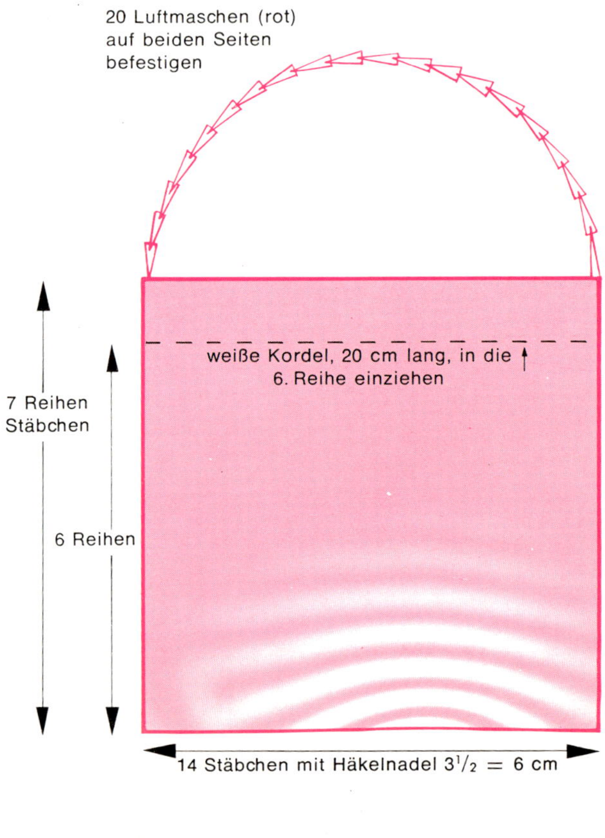

1

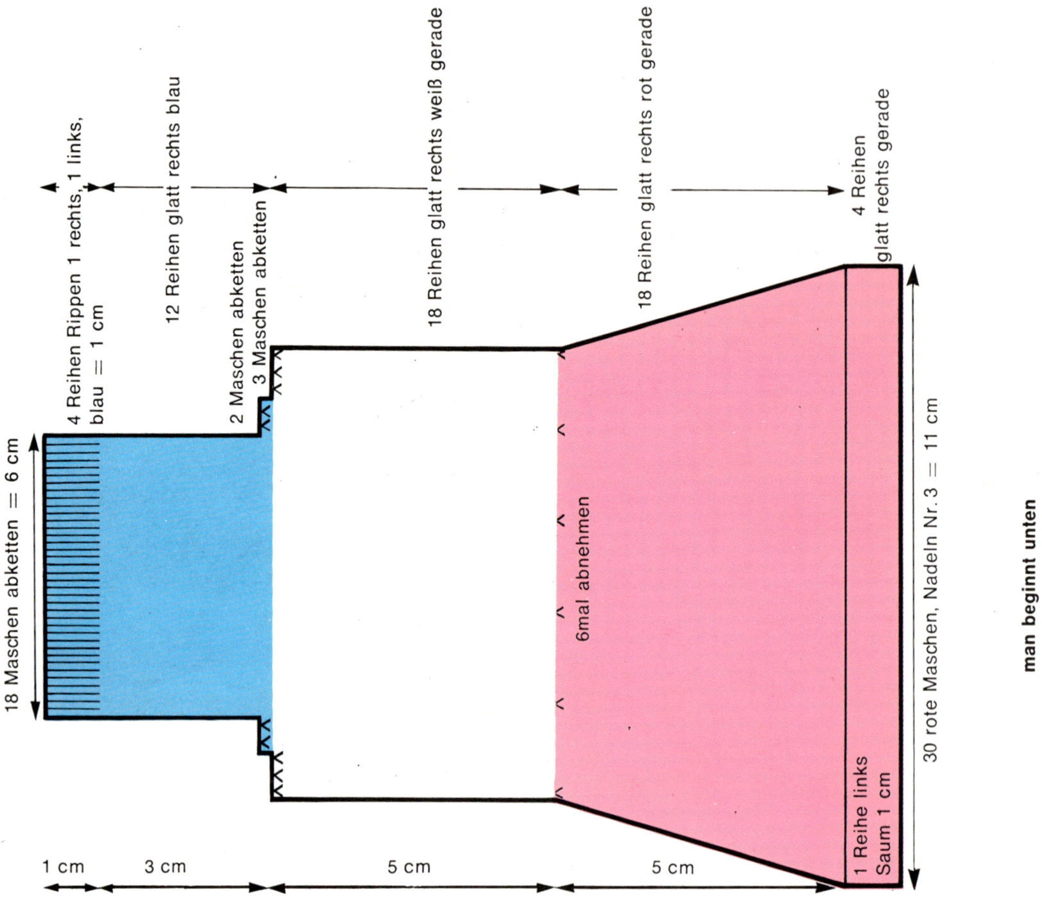

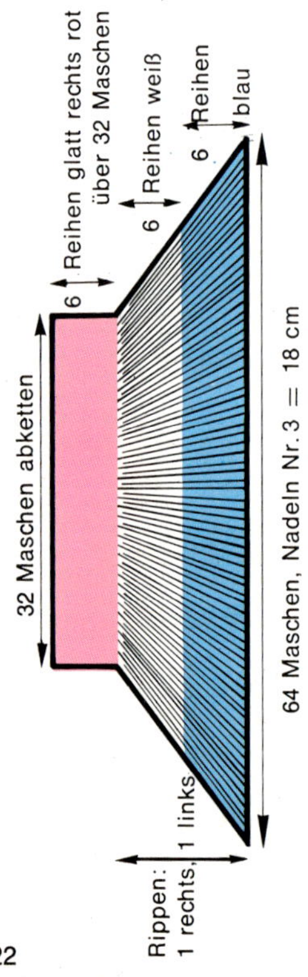

2

Ferien in Frankreich

In den Sommerferien durfte ich mit meinen Eltern nach Frankreich fahren. In einem kleinen Pariser Laden fand ich dieses lustige Kleid in den französischen Nationalfarben.

Material: 15 g mittelstarke rote Schachenmayr-Wolle; 5 g derselben Qualität in Weiß; 5 g derselben Qualität in Blau; 2 Stricknadeln Nr. 2; 1 dicke Stopfnadel.

Muster: glatt rechts; gerippt (siehe Seite 8).

In Zeichnung 1 sind alle Angaben für das Kleid eingetragen. Rücken- und Vorderteil sind genau gleich. Ihr näht sie an den Seiten und auf den Schultern zusammen. Vergeßt nicht den Rocksaum (siehe Seite 17). Am Schluß dreht ihr eine blau-rote Kordel von 25 cm Länge und zieht sie durch zwei Schlaufen in der Taille.
Der Hut (Zeichnung 2) ist in einem Stück gestrickt und hinten zusammengenäht. In der ersten roten Reihe strickt ihr jeweils 2 Maschen zusammen. Die Anleitung für die Schuhe steht auf Seite 18.

Ausflug ans Meer

Manchmal verbringen wir mit meinem Vetter einige Tage am Meer. Für die Ausflüge auf dem Schiff ziehe ich meine weiße Hose und die warme blaue Jacke an.

Material: für die Jacke: 40 g blaue Schachenmayr-Sportwolle; 2 Stricknadeln Nr. 3½. Für die Hose: 20 g mittelstarkes weißes Schachenmayr-Garn; 2 Stricknadeln Nr. 3; 1 dicke Stopfnadel.

Muster: kraus; glatt rechts; gerippt (siehe Seite 8).

1

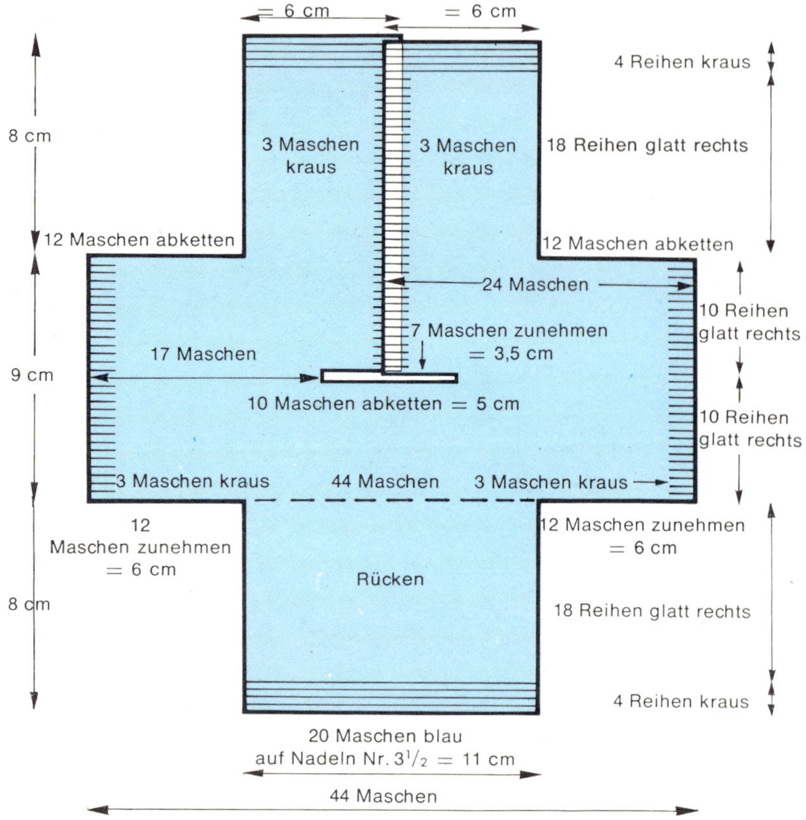

man beginnt unten

2

3

Die Jacke (Zeichnung 1) ist ein einziges Stück ohne Nähte an den Schultern. Wenn ihr sie fertiggestrickt habt, faltet ihr sie so, daß die vorderen Unterkanten genau auf der hinteren liegen und näht die Seitennähte und Ärmel zusammen. In der Taille häkelt ihr an den Seitennähten zwei kleine Schlaufen für den Gürtel (Zeichnung 2). Der Kragen (Zeichnung 3) wird entlang dem Halsausschnitt angenäht. Die Taschen befestigt ihr mit kleinen Stichen genau oberhalb des quergerippten Bündchens und 2 cm von den vorderen Kanten entfernt (siehe Foto 5). Die Erklärungen für die Hose findet ihr auf Seite 17.

4

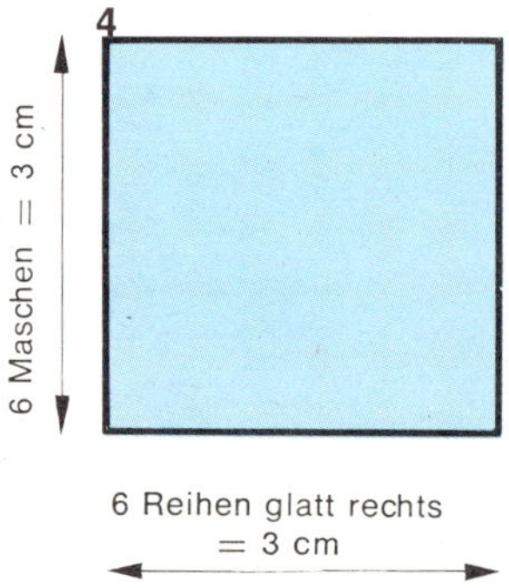

5

Lilly

Lilly ist meine beste Freundin. Am Mittwochnachmittag gehe ich oft zu ihr zum Tee. Schaut nur, wie elegant sie sich immer anzieht!

Material: 20 g Sportwolle, hellrost; 40 g derselben Qualität in Schwarz; 2 Stricknadeln Nr. $3^1/_2$; 1 dicke Stopfnadel.

Muster: glatt rechts; kraus; gerippt (siehe Seite 8).

Die Puppe ist genau wie Dolly gestrickt. Ihre langen Haare sind ganz einfach zu machen: einen Kartonstreifen von 9 cm Länge umwickelt ihr 50mal mit der hellrost Wolle. Dann schneidet ihr den Strang an einer Stelle durch. Ihr erhaltet so 50 Wollfäden von 18 cm Länge, die ihr in der Mitte mit einem Wollfaden sehr fest zusammenbindet, und oben auf dem Kopf annäht. Die Ponies macht ihr aus 20 Fäden von 4 cm Länge und befestigt sie über der Stirn.

1

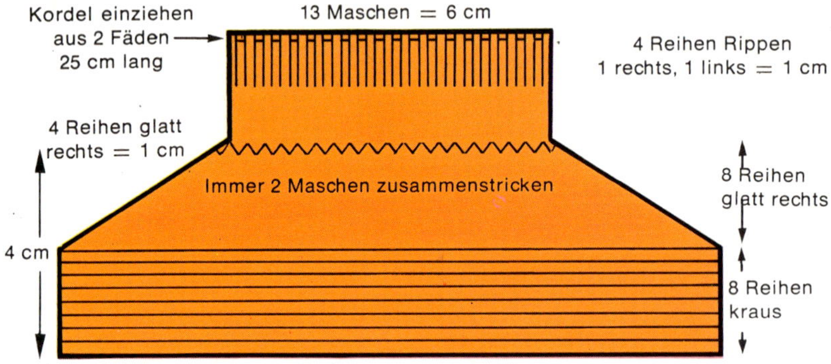

26 Maschen hellrot auf Nadeln Nr. $3^1/_2$ = 13 cm

man beginnt unten

3

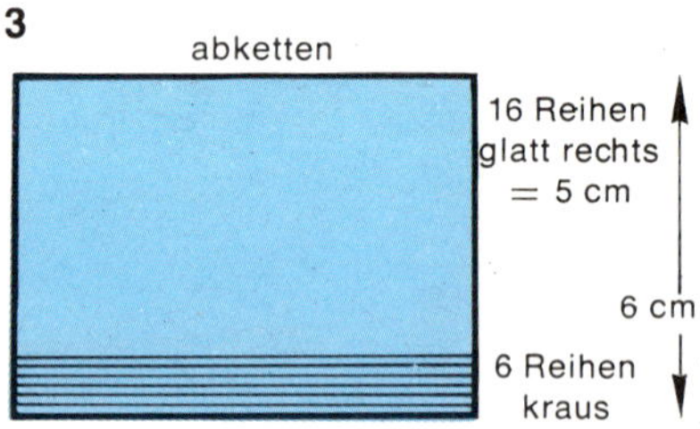

17 schwarze Maschen = 8 cm

2

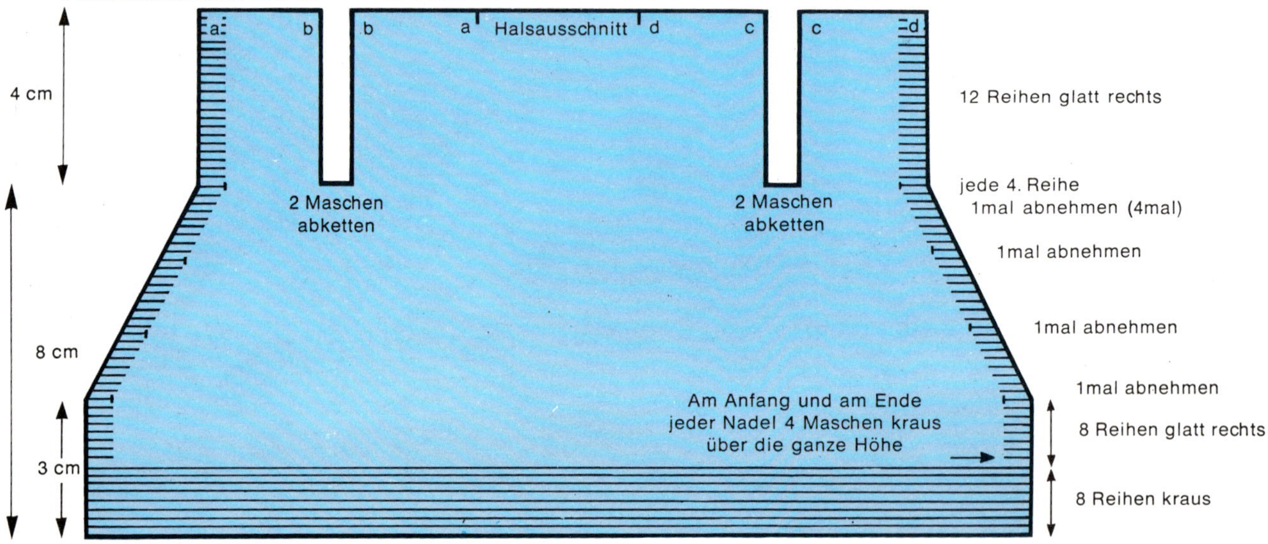

45 schwarze Maschen, Nadeln Nr. $3^1/_2$ = 22 cm

man beginnt unten

4

Den Rock arbeitet ihr genau nach Zeichnung 1.
Die Kordel ist auf Seite 29 beschrieben.
Beim Mantel (Zeichnung 2) strickt ihr für das Abnehmen nach den 4 kraus gestrickten Maschen stets 2 Maschen zusammen. Die Ärmel (3) näht ihr so in die Armausschnitte, bb und cc, daß die kraus gestrickten Reihen außen sind.
Für die Strumpfhose (Zeichnung 4) umwickelt ihr die Beine schön eng mit schwarzer Wolle bis hinauf zur Taille. An den Füßen näht ihr ein Paar Stiche mit der schwarzen Wolle. Das Hütchen strickt ihr nach Zeichnung 5 und befestigt es mit kleinen Stichen auf den Haaren.

5

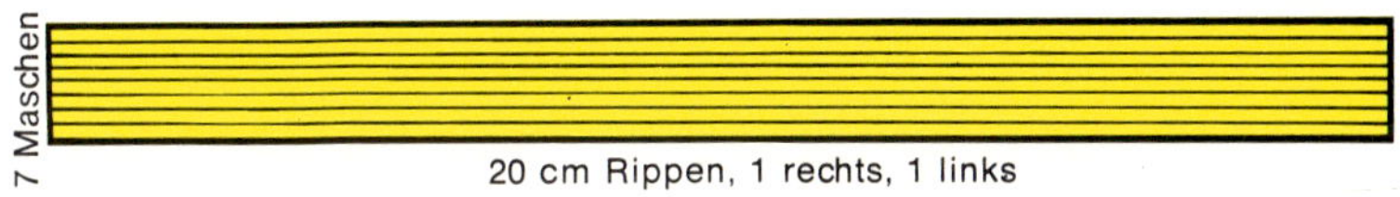

Häkeltechniken

Die erste Masche

Die Anfangsschlinge nach dem Foto 1 mit dem Daumen und Zeigefinger der linken Hand bilden, dann den Arbeitsfaden fest anziehen. Mit der Häkelnadel den Faden des Knäuels, der über dem linken Zeigefinger liegt, durch die Schlinge auf der Nadel ziehen = 1 Luftmasche. Für die Luftmaschenkette diesen Arbeitsgang fortlaufend wiederholen (Foto 2).

1

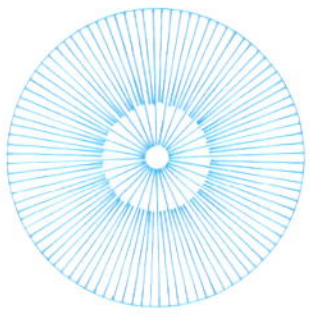

2

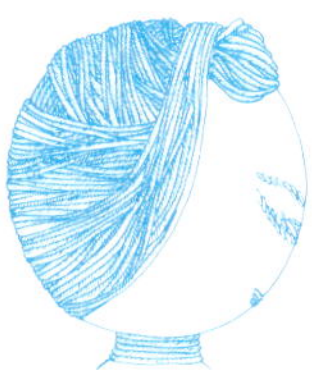

Die Kettmasche

Mit der Kettmasche wird die Luftmaschenkette zum Kreis geschlossen, man sticht mit der Häkelnadel in die 1. Luftmasche und zieht den Faden in einem Arbeitsgang durch diese und die Masche auf der Häkelnadel (Foto 3).

3

Die feste Masche

Ihr stecht mit der Nadel in die 2. Luftmasche von der Nadel aus und holt eine Schlinge durch, dann legt ihr den Arbeitsfaden wieder um die Nadel und zieht ihn durch die beiden auf der Nadel liegenden Schlingen (Foto 4). Die nächste feste Masche in die folgende Luftmasche häkeln. Bei einigen Anleitungen muß ab der 2. Reihe nur in den hinteren Faden der Masche der Vorreihe eingestochen werden. Beim Wenden am Reihenende vergeßt nicht, eine Luftmasche zu häkeln!

4

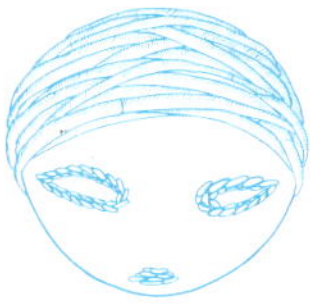

Das Stäbchen

Nach der Ausführung einer Luftmaschenkette legt ihr den Arbeitsfaden über die Nadel, dann stecht ihr in die 4. Luftmasche von der Nadel aus ein und holt eine Schlinge durch, dann legt ihr wieder den Faden um die Nadel und zieht ihn durch 2 Schlingen auf der Nadel, dann nochmals den Faden um die Nadel legen und durch die letzten 2 Schlingen ziehen (Foto 5). Das nächste Stäbchen in die folgende Luftmasche häkeln. Am Reihenende wenden und das 1. Stäbchen der folgenden Reihe durch 3 Luftmaschen ersetzen.

5

Das halbe Stäbchen

Wie das Stäbchen beginnen, jedoch in die 3. Luftmasche von der Nadel aus einstechen und eine Schlinge durchholen, dann den Faden wieder um die Nadel legen und durch alle 3 Schlingen auf der Nadel ziehen. Das nächste halbe Stäbchen in die folgende Luftmasche häkeln. Nach dem Wenden das 1. halbe Stäbchen der folgenden Reihe durch 2 Luftmaschen ersetzen.

Die Kordel

Man nimmt mehrere Fäden Wolle, sie müssen 3mal so lang sein wie die fertige Kordel. Beide Enden der Fäden zusammenknoten. Mit der linken Hand das eine Ende festhalten, mit der rechten Hand entweder mit dem Finger oder mit einem Bleistift die Fäden drehen. Man kann das eine Ende auch an einer Türklinke einhängen oder von einem Helfer festhalten lassen (Foto 6). Wenn die Kordel fest gedreht ist, legt ihr sie zur Hälfte zusammen, sie dreht sich dann von selbst zusammen.

6

1

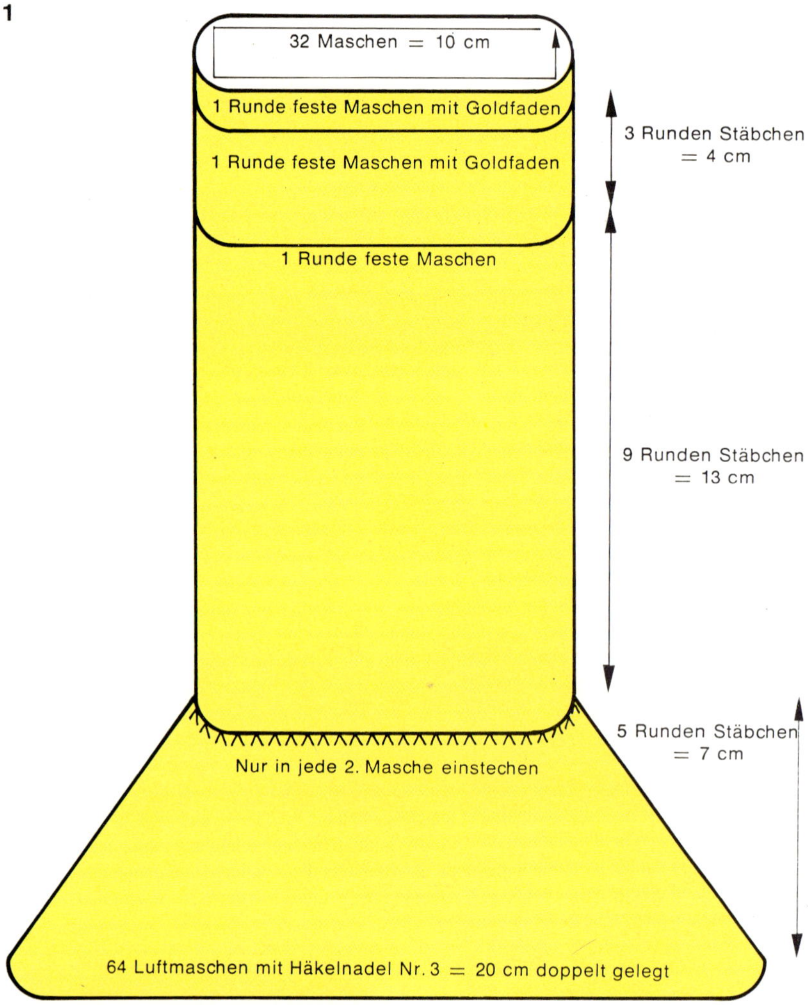

2

3

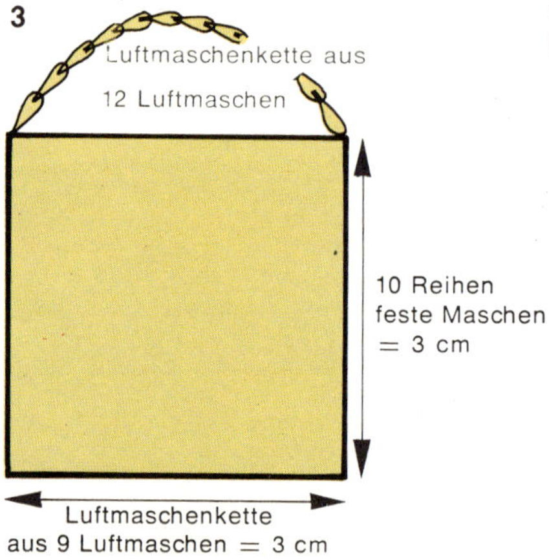

4

Der große Ball

Lilly hat Geburtstag. Sie hat alle ihre Freunde zu einem großen Ball eingeladen. Ich ziehe ein wunderschönes orangefarbenes Kleid mit Goldfäden an. Und zum ersten Mal trage ich dazu mein neues Halsband und das goldene Täschchen.

Material: 25 g Häkelgarn mit Goldfaden, orange; 5 g Goldfaden; 1 Häkelnadel Nr. 3; 1 dicke Stopfnadel.

Muster: Stäbchen; feste Maschen; Luftmaschen (siehe Seiten 28 und 29).

Das Kleid ist immer im Kreis gehäkelt (Zeichnung 1). Ihr stecht dabei aber nur in das hintere Maschenglied der Masche der vorhergehenden Runde ein (wie man häkelt, steht auf Seite 28). Wenn ihr fertig seid, schlagt ihr den Rockbund entlang der goldenen Runde nach vorne um und näht ihn fest. Durch die ersten 5 Stäbchenreihen, die auf die Runde folgen, in der ihr abgenommen habt, zieht ihr je 3 goldene Fäden (Foto 2).
Für das Täschchen (Zeichnung 3) nehmt ihr die Anleitung auf Seite 20. Das Halsband wird nach Zeichnung 4 angefertigt. Mit einem Goldfaden macht ihr 3 Luftmaschen, schließt sie zum Kreis und häkelt in den Kreis 20 halbe Stäbchen. Das fertige Medaillon befestigt ihr auf einer 5 cm langen Luftmaschenkette.

1

2

3

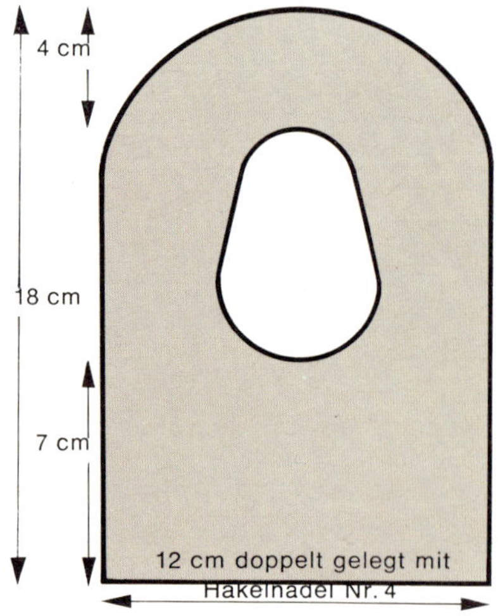

Die russische Hochzeit

Jetzt kommt die Faschingszeit, und wir können uns verkleiden. Ich habe mir mit dem Einverständnis von Großmutter, die sehr gut häkeln kann, ein russisches Hochzeitskleid aus dem alten Rußland ausgewählt. Wollt ihr mich Alexandra nennen?

Material: 100 g weiße, mittelstarke Schachenmayr-Wolle, 1,5 m rosa Satinband — 2½ cm breit, 1 Häkelnadel Nr. 4, 1 Häkelnadel Nr. 5, 1 Stopfnadel.

Muster: Luftmaschenkette und feste Maschen werden auf den Seiten 28 und 29 erklärt. Das Margeriten-Muster, Noppenmuster und die doppelten festen Maschen sind im Text erklärt, denn hier geben wir euch die einfachsten Erklärungen.

Das Kleid (Abbildung 1 und Foto 2) wird rund gehäkelt. Begonnen wird von unten herauf mit dem Margeriten-Muster. Anschlag 36 Luftmaschen mit Häkelnadel Nr. 5, die Kette wird zur Runde geschlossen und folgendermaßen weitergearbeitet: Häkelnadel in eine Luftmasche einstechen, Schlinge holen und durchziehen, Faden um die Nadel legen = ein Umschlag, Häkelnadel in die nächste Luftmasche einstechen, Schlinge durchziehen, Umschlag, Faden durch alle 4 Schlingen auf der Nadel ziehen, 1 Luftmasche. Auf diese Art fortlaufend weiterarbeiten, den folgenden Margeriten-Stich in die letzte Einstichstelle und in die folgende Luftmasche arbeiten. Die folgenden 2 Runden ebenso arbeiten, indem die Häkelnadel das erste Mal in die Margeriten-Masche gestochen wird und das zweite Mal in das folgende Loch. Darüber häkelt ihr abwechselnd 1 Runde feste Maschen (siehe Seite 29) und 1 Runde Noppenmuster (für jede Noppe: Ein Umschlag, in die Masche einstechen, 1 Schlinge durchholen, die auf der Häkelnadel bleibt, dies 3mal in derselben Masche wiederholen, dann 1 Umschlag, welcher durch alle 7 Schlingen auf der Häkelnadel gezogen wird, 1 Luftmasche). Nun 5 Runden Noppenmuster häkeln, abwechselnd mit 5 Runden festen Maschen, danach 10 Runden doppelte feste Maschen häkeln wie folgt: Nadel in 1 Masche einstechen, Schlinge durchziehen, Umschlag, Faden durch die vorhandene Schlinge ziehen. Dann 1 Runde feste Maschen und dabei jede 3. Masche überspringen, um den Ausschnitt einzuhalten.

Die Kapuze (Abbildung 3) wird im Noppenmuster gehäkelt mit Häkelnadel Nr. 4, abwechselnd jeweils 1 Runde Noppenmuster, 1 Runde feste Maschen. Anschlag 48 Luftmaschen, die zur Runde geschlossen werden, dann 3 Runden Noppenmuster. Danach bleiben 4 Noppen unbehäkelt, und während 6 hin- und hergehenden Reihen diese weiterhin unbehäkelt lassen. Danach bei der Runde mit festen Maschen jede 3. Masche der vorhergehenden Runde überspringen. 1 Runde Noppen häkeln. Nochmals 1 Runde feste Maschen, dabei wieder jede 3. Masche überspringen, damit die Kapuze sehr fest am Kopf schließt.

Um den Gesichtsausschnitt der Kapuze und am unteren Rand der Kapuze 1 Runde Noppen häkeln. Zieht ein Band durch die Mitte der Kapuze und bindet es am Hals zusammen, die beiden anderen Bänder lt. nebenstehendem Foto zur Schleife binden und annähen.

Fräulein Wuschel

Wie man Wuschelpuppen macht

Es ist ganz einfach, Wuschelpuppen zu basteln. Je nach Länge der Wollfäden, die ihr nachher braucht, wickelt ihr die Wolle über euren Unterarm oder einen Kartonstreifen in der richtigen Länge. Ihr könnt aber auch eine oder sogar zwei Rückenlehnen von Stühlen hernehmen.
In diesem Buch raten wir euch oft, euren Unterarm zu verwenden. Das ist dann euer eigenes Maß, und die Länge steht einer Puppe, die euch ganz allein gehört, besonders gut. Den Kopf und die Arme macht ihr dann ganz nach eurem Geschmack und je nach Größe der Puppe.
Beugt euren linken Unterarm im rechten Winkel an und nehmt das Fadenende zwischen den linken Daumen und den Zeigefinger. Dann wickelt ihr mit der rechten Hand den Faden so oft über den Unterarm (siehe Foto), wie die Anzahl der Fäden ist, die ihr braucht.
Vergeßt nicht, den Knoten, der die Wollfäden zusammenhält, besonders fest zu ziehen, damit die Fäden nicht herausschlüpfen können.

Der Knäuel

Für einige Puppenköpfe braucht ihr Wollknäuel. Sie sind ganz einfach herzustellen, aber ihr müßt dabei sehr sorgfältig sein. Damit der Knäuel schön rund wird, müßt ihr ihn immer drehen und die Fäden sauber nebeneinander wie um eine Achse wickeln. Die letzten Runden zieht ihr ein bißchen straffer, daß der Knäuel rund und fest bleibt.

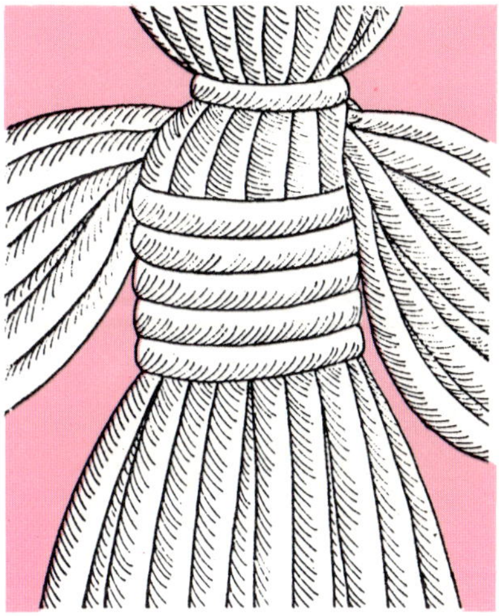

1

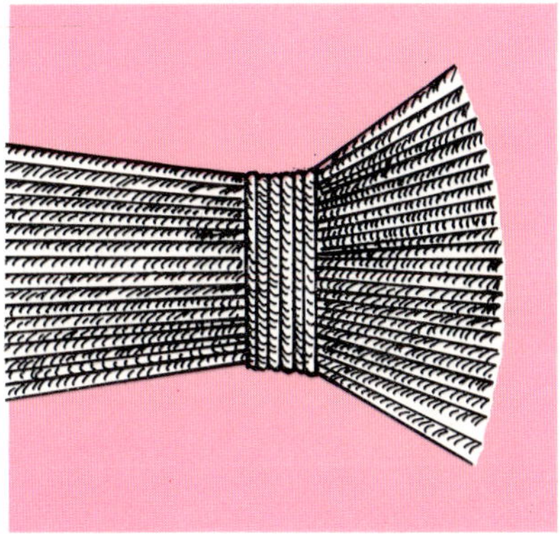

2

Prinzessin Morgenröte

Kennt ihr Prinzessin Morgenröte? Mit einem magischen Stab kann sie zaubern. Und ich kann die Prinzessin aus Wollfäden herzaubern. Ihr werdet gleich sehen, wie das geht!

Material: 2 Knäuel rosa Dochtgarn; 1 Knäuel dünne rosa Zephirwolle; 1 sehr dicke Stopfnadel; 1 Sticknadel; 1 blauen Baumwollfaden.

Wir verwenden jetzt eine ganz neue Technik: ohne Häkel- oder Stricknadeln, ganz einfach, indem wir die Wolle um Ellenbogen und Daumen eine Armes wickeln (siehe Seiten 36 und 37). So erhalten wir einen Wollstrang, aus dem dann die Wuschelpuppen entstehen. Statt des Armes kann man auch einen Karton verwenden. Aus einem ganzen Knäuel des Dochtgarns macht ihr einen Strang von 40 cm Länge (siehe Seiten 36 und 37). Schneidet den Strang unten durch und bindet ihn oben sehr fest zusammen. Der Faden, mit dem ihr ihn zusammenbindet, dient später auch zum Aufhängen der Puppe. 9 cm unter dem oberen Ende des Stranges bindet ihr einen Wollfaden um den Strang und knotet ihn fest zu. Schon hat eure Puppe einen Kopf (Zeichnung 1).

Für die Arme schneidet ihr 18 Wollfäden von 35 cm Länge. 3 cm von den beiden Enden entfernt wickelt ihr einen Wollfaden fünfmal sehr fest um den Strang und verknotet ihn gut (Zeichnung 2). Dann teilt ihr den Strang, der den Körper der Prinzessin bildet, unterhalb des Kopfes in zwei Hälften und schiebt die Arme durch. Für die Taille wickelt ihr einen Wollfaden zwölfmal um den Körper (Zeichnung 1). Die Prinzessin soll einen Taillenumfang von ungefähr 13 cm haben. Das Ende des Fadens schiebt ihr unter das Mieder. Für die Haare macht ihr einen Strang aus einem halben Knäuel der Zephirwolle. Ihr wickelt die Wolle 80mal über euren Arm, schneidet dann den Strang durch und bindet ihn in der Mitte zusammen. Einen kleinen Strang, für den ihr die Wolle 24mal um 4 Finger wickelt, befestigt ihr zusammen mit den langen Haaren oben auf dem Kopf (Foto 3). Für die Augen (Foto 4) macht ihr mit dem blauen Faden zwei Knoten übereinander und schneidet die Enden in 1/2 cm Länge ab. 3 Fäden über Kreuz braucht ihr für ein Auge. Den Mund stickt ihr aus rotem Faden. Am Schluß streicht ihr das Kleid und die Haare schön glatt.

3

4

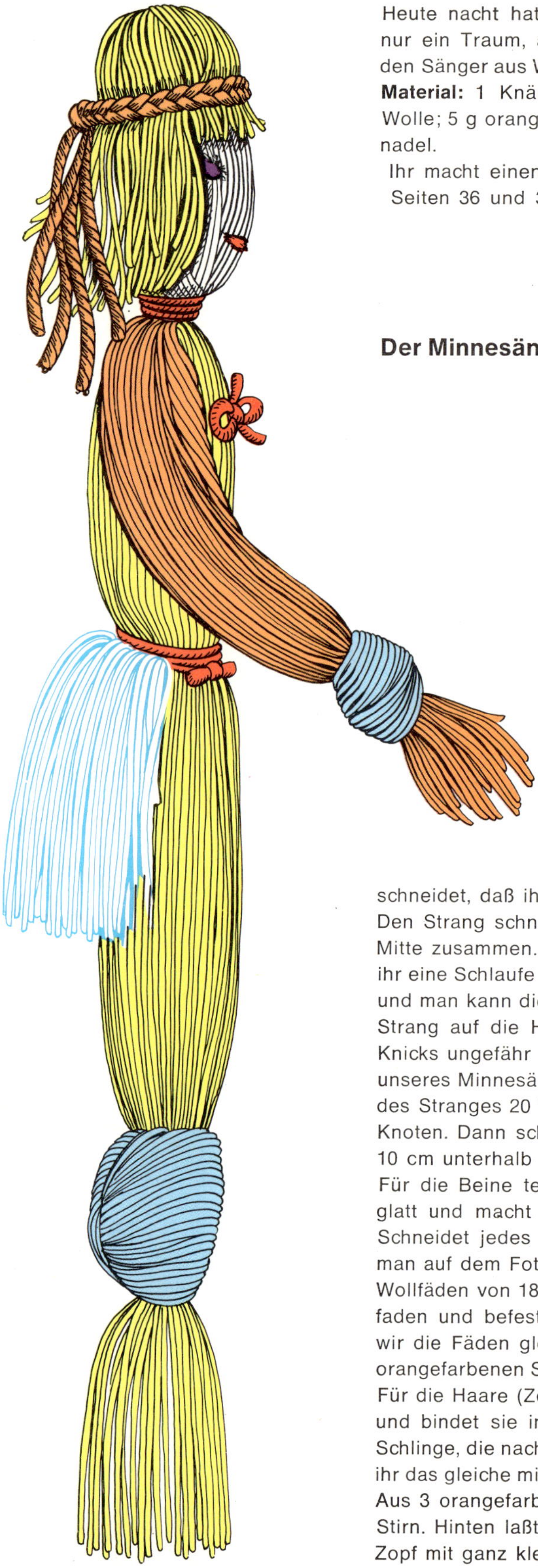

1

Heute nacht hat jemand vor meinem Fenster gesungen. Vielleicht war es nur ein Traum, aber als ich aufwachte, habe ich trotzdem gleich versucht, den Sänger aus Wolle entstehen zu lassen.

Material: 1 Knäuel weißes, mittelstarkes Schachenmayr-Garn; 10 g gelbe Wolle; 5 g orangefarbene Wolle; roten und braunen Baumwollfaden; 1 Sticknadel.

Ihr macht einen Strang aus 75 weißen Wollfäden von 60 cm Länge (siehe Seiten 36 und 37). Es ist besser, wenn ihr die Fäden 2 oder 3 cm länger

Der Minnesänger

2

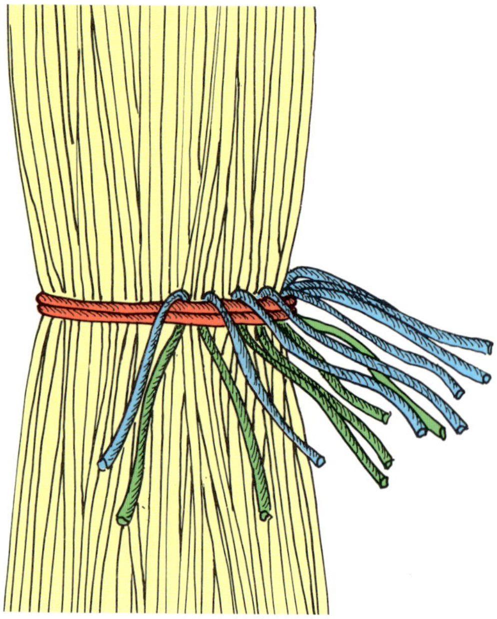

schneidet, daß ihr sie ausgleichen könnt, wenn sie zusammengeknotet sind. Den Strang schneidet ihr an einer Stelle durch und bindet ihn dann in der Mitte zusammen. Aus dem Faden, mit dem ihr ihn zusammenbindet, macht ihr eine Schlaufe von 10 cm Länge. Daran werden später die Haare befestigt, und man kann die Puppe aufhängen. Für den Kopf (Zeichnung 1) legt ihr den Strang auf die Hälfte zusammen und umwickelt ihn 10 cm unterhalb des Knicks ungefähr 10mal mit der weißen Wolle. So kennzeichnet ihr den Hals unseres Minnesängers. Für die Arme (Zeichnung 1) teilt ihr auf beiden Seiten des Stranges 20 Wollfäden ab und macht 10 cm unterhalb des Halses einen Knoten. Dann schneidet ihr sie in 15 cm Länge ab. Die Taille umwickelt ihr 10 cm unterhalb des Halses mit 2 orangefarbenen Wollfäden (Zeichnung 1). Für die Beine teilt ihr den Strang in zwei Teile, streicht die Fäden schön glatt und macht 17 cm unterhalb der Taille um jedes Bein einen Knoten. Schneidet jedes Bein 24 cm unterhalb der Taille ab. Den Rockschoß sieht man auf dem Foto auf Seite 41 nicht sehr gut. Wir schneiden dazu 40 weiße Wollfäden von 18 cm Länge, hängen sie zur Hälfte über einen anderen Wollfaden und befestigen sie damit in der Taille (Zeichnung 2). Dann verteilen wir die Fäden gleichmäßig (Zeichnung 1). Am Schluß bindet ihr die beiden orangefarbenen Schleifen auf den Bauch unseres Minnesängers.

Für die Haare (Zeichnung 1) schneidet ihr 50 gelbe Fäden von 20 cm Länge und bindet sie in der Mitte fest zusammen. Dann befestigt ihr sie an der Schlinge, die nachher zum Aufhängen der Puppe dient. Für die Fransen macht ihr das gleiche mit zwölf 10 cm langen Fäden.

Aus 3 orangefarbenen Fäden flechtet ihr einen Zopf und bindet ihn um die Stirn. Hinten laßt ihr die Fäden 6 cm lang hängen. Am besten näht ihr den Zopf mit ganz kleinen Stichen fest. Die Augen stickt ihr aus brauner Baumwolle, für den Mund nehmt ihr den roten Faden (Zeichnung 1).

Der große Zauberer Hula-Hula

Meint ihr, daß der Zauberer für euch schönes Wetter zaubern wird, wenn ihr besonders nett zu ihm seid? Versucht es einmal!

Material: 40 g orangefarbenes Sportgarn von Schachenmayr; gelbe, grüne und rosafarbene Wolle; 1 dicke Stopfnadel.

Den Zauberer macht man fast genauso wie den Minnesänger auf Seite 40. Nur wird der Wollstrang nicht in der Mitte zusammengebunden. Ihr schneidet 140 orangefarbene Wollfäden von 35 cm Länge. 5 cm vom einen Ende entfernt (Zeichnung 1) knotet ihr den Strang mit einem gelben Faden zusammen. So entsteht die Frisur. Dann bindet ihr 4 cm darunter einen orangefarbenen Faden um den Strang und bildet so den Kopf. Unter dem Hals teilt ihr auf jeder Seite 30 Fäden ab und macht 7 cm unterhalb des Halses einen Knoten. Die Arme schneidet ihr in 11 cm Länge ab. Die Taille kennzeichnet ihr 5 cm vom Hals entfernt mit einem orangefarbenen Faden. Dann teilt ihr den Strang in zwei Teile und macht in jedes Bein 11 cm unterhalb der Taille einen Knoten (Zeichnung 1). Als Kopfschmuck (Zeichnung 2) schneidet ihr bunte Fäden von 16 cm Länge, legt sie zur Hälfte und näht sie mit einer dicken Nadel oben auf dem Kopf fest. Auch die Beine könnt ihr mit bunten Fäden verzieren (Zeichnung 3). Eine 10 cm lange Schlaufe befestigt ihr als Aufhänger am Kopf.

Für den Rock schneidet ihr 30 Fäden von 10 cm Länge, legt sie zur Hälfte über einen anderen Faden (Zeichnung 4) und befestigt die Fransen damit vorn in der Taille. Für den Rücken macht ihr das gleiche aus bunten Fäden.

Vorne macht ihr mit einer dicken Nadel, in die ihr bunte Fäden eingefädelt habt, zwei große Kreuzstiche. Das Ende der Fäden knotet ihr unter dem Kinn zusammen. Die Augen stickt ihr aus gelben und rosafarbenen Fäden. Den Mund macht ihr nur rosa (Zeichnung 1).

1

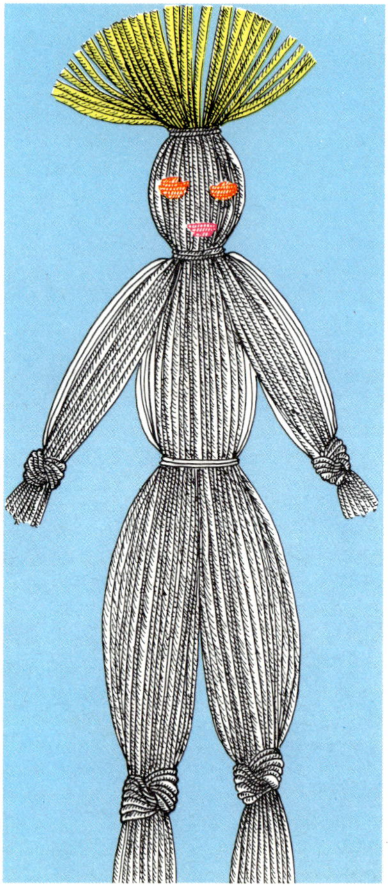

2

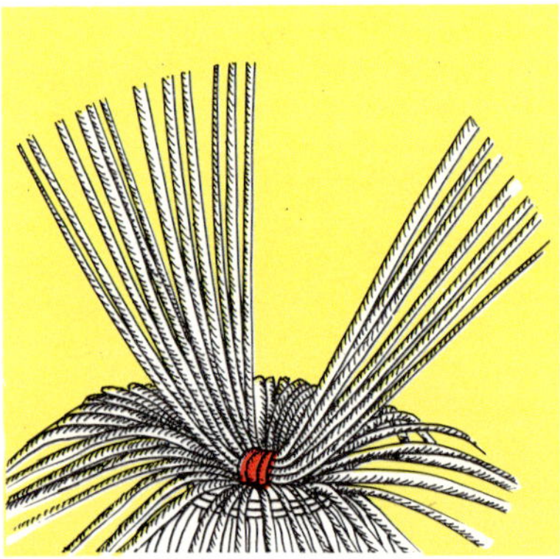

3

4

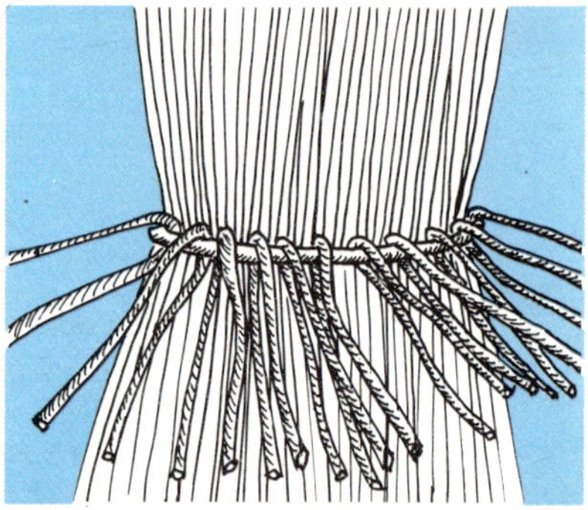

5

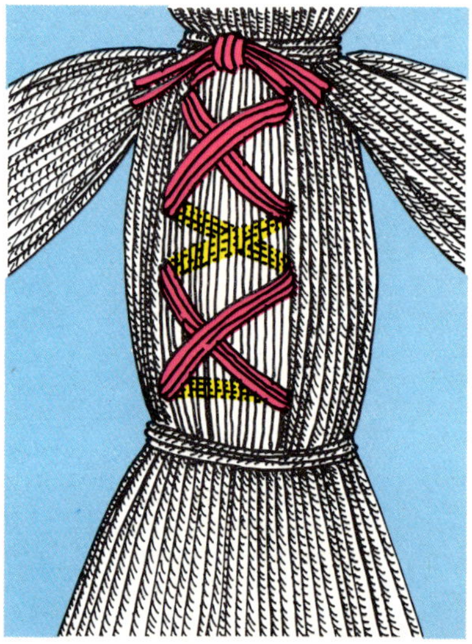

Die Puppe aus Kambodscha

Eine weite Reise hat diese Puppe hinter sich. Sie kommt aus Kambodscha, einem Königreich in Indien.

Material: 1 Knäuel starkes violettes Cablégarn; türkisfarbenes Stickgarn; 1 dicke Stopfnadel.

Aus einem ganzen Wollknäuel macht ihr lauter 80 cm lange Fäden (siehe Seiten 36 und 37). Einige Fäden legt ihr zum Abbinden beiseite, die anderen knotet ihr mit einem Faden in der Mitte zusammen. Laßt aber eine Schlaufe zum Aufhängen der Puppe. Dann teilt ihr 42 Fäden ab und flechtet daraus einen Zopf (Zeichnung 1), den ihr nach 10 cm fest zusammenbindet.
Den Kopf kennzeichnet ihr durch einen Faden, den ihr 6 cm vom Ende entfernt fest um den Strang bindet. Für die Arme teilt ihr auf jeder Seite 24 Fäden ab und flechtet daraus je einen Zopf. Nach 10 cm bindet ihr jeden Zopf zusammen und nach 15 cm schneidet ihr ihn ab. 6 cm unterhalb des Halses schnürt ihr die Taille ein. Dann teilt ihr die übrigen Fäden für die Beine in 2 Teile. Jedes Bein bindet ihr 15 cm unterhalb der Taille zusammen und schneidet es in 21 cm Länge ab. Am Schluß knotet ihr die beiden Beine zusammen, damit die Puppe sitzen kann (Zeichnung 2). Die Augen und den Mund stickt ihr aus türkisfarbenem Faden. Für das Krönchen wickelt ihr die Wolle ungefähr 20mal um einen Finger und befestigt sie oben auf dem Kopf.

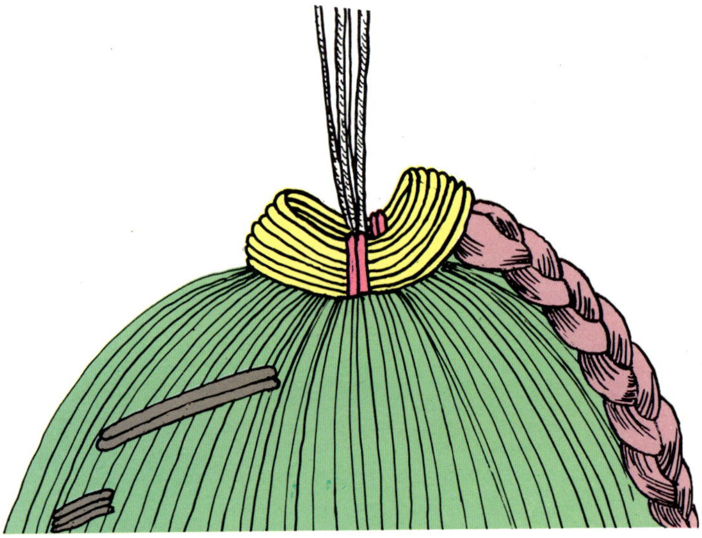

1

2

Die Zwillinge

Kennt ihr Pfläumchen und Mandarinchen, die Zwillinge? Die eine hat schwarzes Haar, die andere blondes, und beide sind ganz einfach zu machen.

Material: Für Pfläumchen: 1 Knäuel dünnes blaues Handarbeitsgarn mit Lurex; 10 g schwarze Wolle; 10 g weiße Wolle; schwarzes Stickgarn; rotes Stickgarn; 1 dicke Stopfnadel; 1 feine Sticknadel. Für Mandarinchen: 1 Knäuel dünnes orangefarbenes Handarbeitsgarn mit Lurex; 10 g hellbeige Wolle; 10 g weiße Wolle; 1 dicke Stopfnadel; 1 feine Nähnadel.

Pfläumchen: Den Kopf macht ihr aus einem festen weißen Wollknäuel von 15 cm Umfang. Mit einer dicken Nadel zieht ihr oben auf dem Kopf 2 Wollfäden ein und knotet sie zu einer Schlinge zusammen, an der später die Haare befestigt werden. Dann macht ihr einen Strang aus 160 Fäden (siehe Seiten 36 und 37) und befestigt ihn gut unten am Kopf. Für die Arme teilt ihr auf jeder Seite 55 Fäden ab, bindet sie 12 cm unterhalb des Halses

1

2

zusammen und schneidet sie in 15 cm Länge ab. Den Rockschoß von 23 cm Länge macht ihr wie auf Seite 40 und befestigt ihn in der Taille 8 cm unterhalb des Halses. Ihr müßt die Fäden dann schön gleichmäßig auf dem Rücken verteilen. Die Frisur macht ihr genau wie die des Minnesängers (Seite 40). Ihr nehmt dazu für den Hinterkopf 18 cm lange Fäden und für die Fransen 10 cm lange Fäden. Die Augen stickt ihr mit 4 schwarzen Stichen, für den Mund macht ihr 4 rote Stiche. Am Schluß legt ihr 2 blaue Fäden um den Hals und macht vorne eine Schleife.

Mandarinchen: Ihr macht sie wie Pfläumchen, nur die Arme sind anders (Zeichnung 1). Ihr macht an der Schulter einen Knoten in die Arme, wie bei den Beinen des Minnesängers (Seite 40). Für die Frisur (Foto 2) wickelt ihr ungefähr 50 Fäden auf einen 15 cm langen Karton. Dieses Mal schneidet ihr den Strang aber nicht durch, sondern knotet ihn nur zusammen und befestigt ihn gleich oben auf dem Köpfchen. Haltet die Haare mit einem Faden um den Hals zusammen. Die Augen stickt ihr aus blauer, den Mund aus roter Baumwolle.

Angela

An Weihnachten könnt ihr sie an den Christbaum hängen. Es sieht dann ganz fröhlich aus, wenn sie sich zwischen den Kerzen dreht.

Material: 1 Knäuel hellgraue Wolle mit Silberfaden; 20 g weiße Wolle; 15 g orangefarbenes dünnes Bouclégarn; 1 dicke Stopfnadel; 1 Sticknadel.

Aus der weißen Wolle macht ihr einen festen Knäuel von 16 cm Umfang. Mit einer dicken Nadel zieht ihr auf einer Seite des Knäuels zwei Fäden durch und bindet sie zu einer Schlinge zusammen. Genau wie bei den Zwillingsschwestern könnt ihr daran die Haare befestigen. Schneidet 250 Fäden von 40 cm Länge und bindet sie in der Mitte zusammen. Dort, wo sie zusammengebunden sind, befestigt ihr sie gut unten am Kopf (Zeichnung 1).
Für die Arme teilt ihr auf jeder Seite 55 Fäden ab und macht an den Schultern einen Knoten. In 11 cm Länge schneidet ihr die Arme ab.
Die Frisur (siehe Seite 40) machen wir aus der Wolle mit dem Silberfaden. Wir verwenden für den Hinterkopf 24 cm lange Fäden, für die Fransen 10 cm lange Fäden (Foto 3).

1

Für die Augen nehmt ihr 2 kurze blaue Fäden, macht einen Doppelknoten und schneidet sie in einigen Millimetern Länge ab. Dann stickt ihr 1 oder 2 Kreuzstiche darüber. Den Mund stickt ihr aus orangefarbenem Faden (Foto 3).

2

3

Die Reise um die Welt

Reisblume

Weit im Fernen Osten trafen wir Reisblume. Sie ist ein reizendes, ganz besonders höfliches Mädchen. Als wir ihr begegneten, trug sie ein Kleid, das sehr leicht aus schwarzer Wolle mit goldenen Fäden zu machen ist.

Material: 70 g naturfarbenes, mittelstarkes Schachenmayr-Garn; 10 g schwarze Wolle; Goldfaden; 1 Spiel Stricknadeln Nr. 3; schwarze und rote Baumwolle; 1 Häkelnadel Nr. 2.

Muster: glatt rechts (siehe Seite 8).

Aus der naturfarbenen Wolle strickt ihr eine Puppe (genau wie Dolly auf Seite 12) mit 8 cm langen Beinen, 6 cm langen Armen und mit einem dicken, runden Kopf von 19 cm Umfang. Dann macht ihr aus der schwarzen Wolle die Träger. Ihr wickelt dazu 8 Fäden zwischen den Beinen durch über jede Schulter, so daß ein „V“ entsteht (Zeichnung 1). Vernäht das Fadenende. Dann fangt ihr 6 cm oberhalb der Füße an, sorgfältig mehrere Lagen der schwarzen Wolle und einige goldene Fäden um beide Beine und bis hinauf unter die Arme zu wickeln (Zeichnung 1).

Für die Ärmel wickelt ihr die schwarze Wolle 14mal um einen 15 cm langen Karton und befestigt die Stränge auf jeder Schulter mit einem kleinen, festen Stich (Zeichnung 2). Dann flechtet ihr einen schwarzen Zopf und macht am Ende einen Knoten. 8 cm unterhalb des Knotens schneidet ihr den Zopf ab und befestigt ihn oben auf dem Kopf (Zeichnung 3). Die Augen stickt ihr aus schwarzer Baumwolle, den Mund mit 3 Stichen aus roter Baumwolle.

Für die Ohren häkelt ihr je 4 Luftmaschen (siehe Seite 28) und näht sie auf jeder Seite des Kopfes an (Zeichnung 3).

1

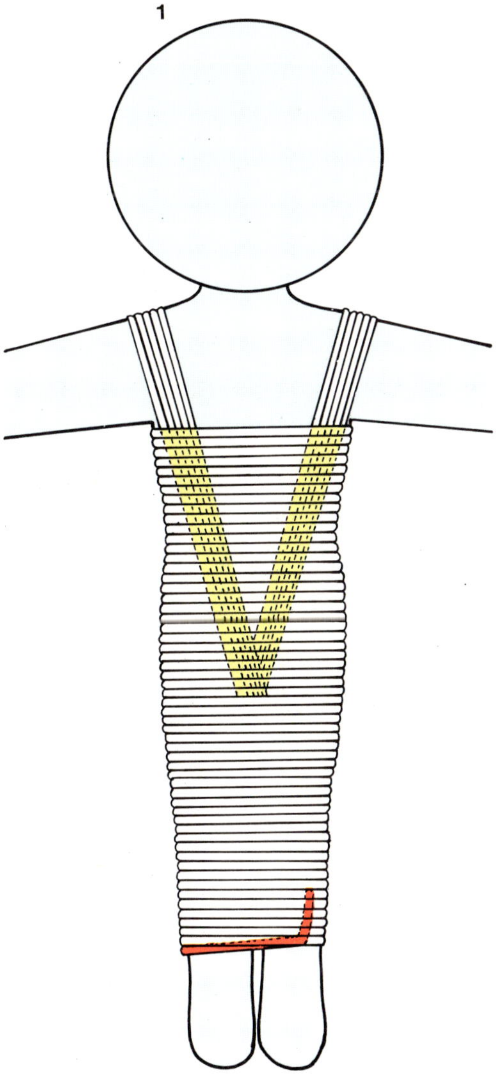

2

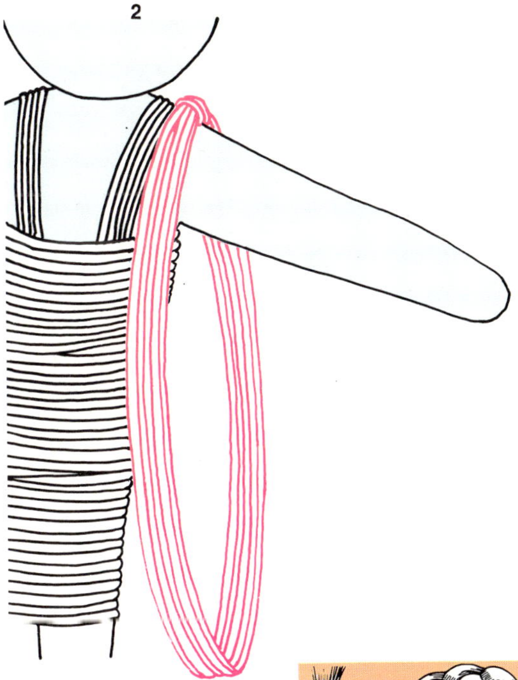

3

Congo

In Afrika haben wir Congo kennengelernt. Er hat uns eingeladen, uns in seinem Dorf ein bißchen auszuruhen und schenkte uns eine wunderschöne geschnitzte Maske.

Material: 2 Wollknäuel dunkelbraune Sportwolle; 5 g schwarze Mohairwolle; 5 g mittelstarkes rotes Schachenmayr-Garn; weiße Baumwolle; 2 Spiele mit je 5 Stricknadeln Nr. $3^1/_2$; 1 dicke Stopfnadel; 1 Sticknadel.

1

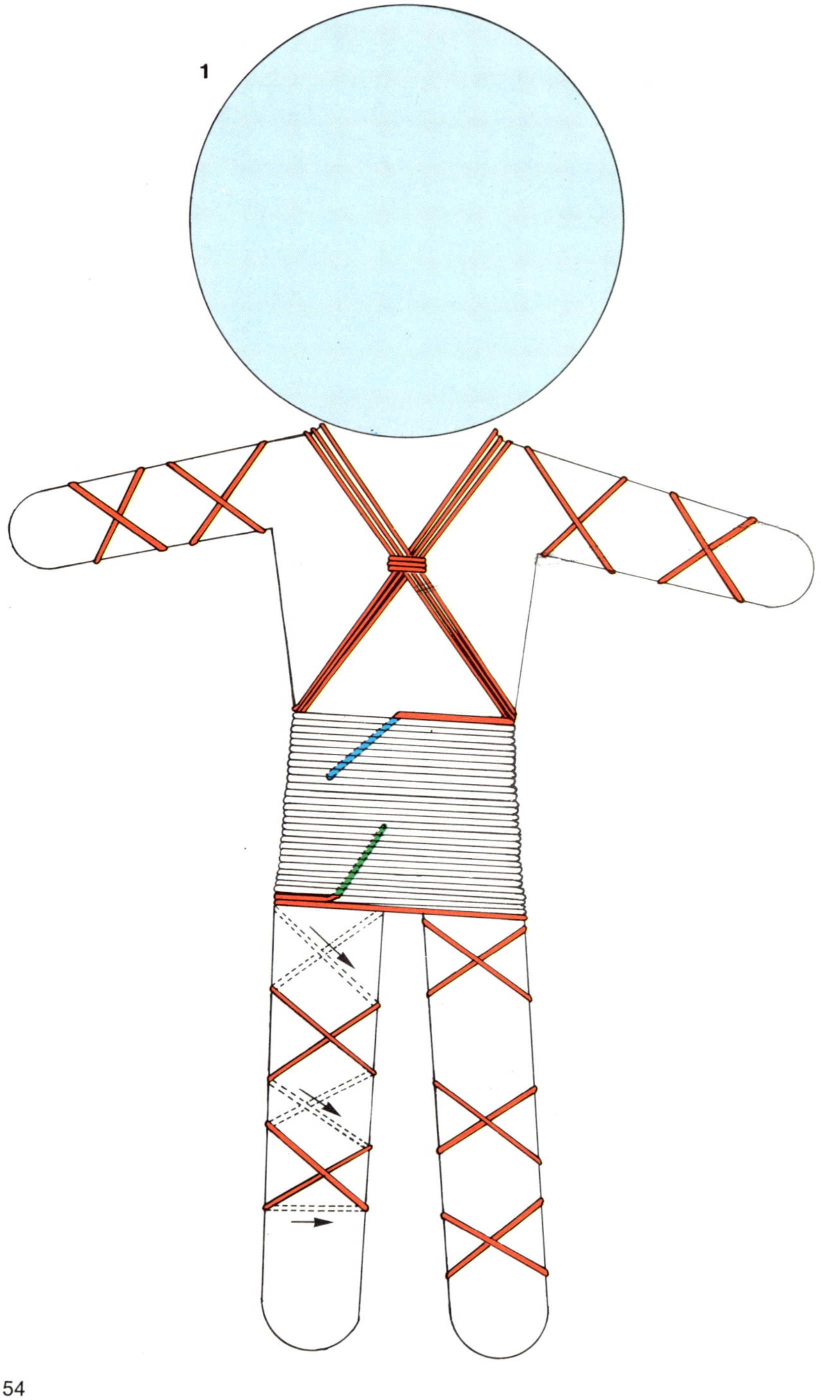

2

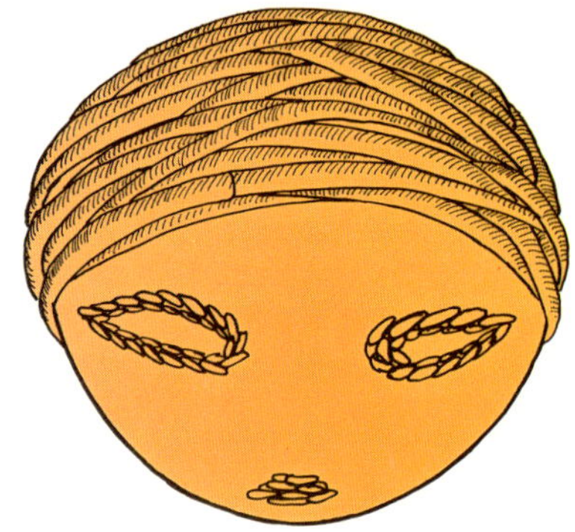

Muster: glatt rechts (siehe Seite 8).

Strickt eine Puppe wie Dolly (Seite 12). Für jedes Bein schlagt ihr 12 Maschen an und strickt 8 cm hoch. Dann nehmt ihr im Schritt 4 Maschen auf und strickt den Körper 10 cm hoch. Für den Hals nehmt ihr in 3 Runden 20 Maschen ab. Mit den restlichen 12 Maschen strickt ihr 6 Runden. Für den Kopf verdoppelt ihr dann jede Masche und nehmt in der darauffolgenden Runde nach jeder 2. Masche 1 Masche zu. Dann nehmt ihr noch nach jeder 5. Masche 1 Masche zu. Am Schluß müßt ihr 43 Maschen haben, mit denen ihr 7 cm hoch strickt. Ihr schließt den Kopf wie bei Dolly. Für jeden Arm schlagt ihr 12 Maschen an und strickt 7 cm hoch.

Die rote Wolle wickelt ihr von der Taille abwärts bis zu den Beinen um den Körper (Zeichnung 1). Dann wikkelt ihr die Wolle 3mal über Kreuz um jedes Bein. Dasselbe macht ihr bei den Armen. Das große Kreuz über der Brust näht ihr in der Mitte mit einem Stich fest. Für den Turban wickelt ihr die Mohair-Wolle immer über Kreuz um den Kopf (Zeichnung 2).

Die Augen stickt ihr aus weißer Baumwolle, den Mund aus roter Wolle (Zeichnung 2).

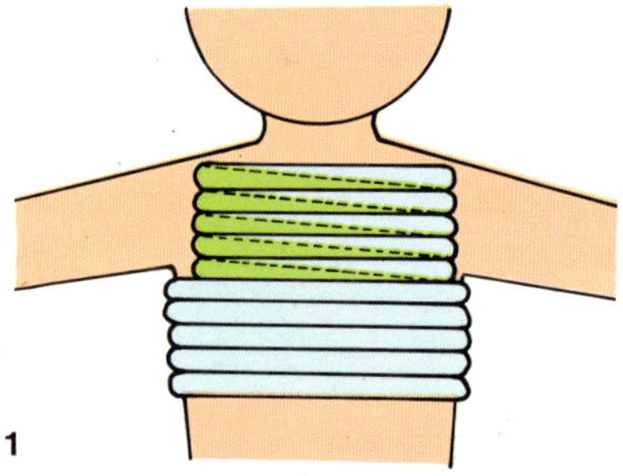

1

Kyoto

Japan ist ein sehr modernes Land. Trotzdem wollen die Japaner ihre Tradition bewahren, und wenn sie nach einem Arbeitstag nach Hause kommen, ziehen sie oft ihre „westlichen" Kleider aus und schlüpfen in einen hübschen Kimono.

Material: 70 g gelbes, mittelstarkes Schachenmayr-Garn; 10 g türkis Dochtgarn; 5 g dunkelbraune Mohairwolle; 2 Spiele mit je 5 Stricknadeln Nr. 3; 1 Sticknadel; 1 dicke Stopfnadel.

Muster: glatt rechts; kraus (siehe Seite 8); Zopf.

Strickt eine Puppe wie Dolly. Ihr schlagt für jedes Bein 12 Maschen an und strickt 8 cm hoch. Im Schritt nehmt ihr 4 Maschen auf. Mit diesen 32 Maschen strickt ihr 8 cm hoch für den Körper.
Für den Hals nehmt ihr in 3 Runden 16 Maschen ab. Mit den restlichen 16 Maschen strickt ihr 6 Runden.
Für den Kopf verdoppelt ihr dann jede Masche. In der folgenden Runde nehmt ihr nach jeder 3. Masche 1 Masche zu, so daß ihr 42 Maschen habt. Dann nehmt ihr nur noch nach jeder 10. Masche 1 Masche zu. Am Schluß habt ihr 46 Maschen, mit denen ihr 6 cm hoch strickt. Ihr schließt den Kopf wie bei Dolly.
Für jeden Arm schlagt ihr 12 Maschen an und strickt 7 cm hoch.
Aus dem Dochtgarn macht ihr mit der Stopfnadel auf der Brust zwischen den Armen (Zeichnung 1) 5 große Stiche. Unterhalb der Arme wickelt ihr dann die Wolle ganz um den Körper bis hinunter zur Taille. Das Fadenende vernäht ihr. Für die Träger (Zeichnung 2) wickelt ihr zwei Fäden zwischen den Beinen durch und über jede Schulter, so daß ein „V" entsteht. Das Fadenende wird wieder vernäht. Dann beginnt ihr an den Füßen, beide Beine zusammen bis hinauf zur Taille mit der Wolle zu umwickeln. Auf dem Rücken macht ihr ein kleines Kissen, indem ihr die Wolle zwischen den Trägern hin und her zieht (Zeichnung 3). Aus je 4 Luftmaschen macht ihr die Ohren (Zeichnung 4). Mit schwarzer Baumwolle stickt ihr der Puppe große Augen. Die Augenbrauen stickt ihr mit Kettenstich. Der Schnurrbart und das Kinnbärtchen sind aus Mohair-Wolle gemacht.
Für den Hut schlagt ihr mit der gelben Wolle auf Stricknadeln Nr. 3 16 Maschen an und strickt immer kraus. Zuerst strickt ihr nur 10 Maschen ab, dreht die Arbeit um und strickt auf diesen 10 Maschen wieder zurück. Dann erst strickt ihr 2 Reihen lang alle 16 Maschen. Das Ganze wiederholt ihr 32mal, immer abwechselnd 2 Reihen mit 10 Maschen und 2 Reihen mit 16 Maschen. Am Schluß näht ihr den Hut zusammen und fältelt dabei den inneren Rand ein bißchen, damit ihr nachher den Zopf durchstecken könnt.
Für den Zopf schneidet ihr 12 Mohair-Wollfäden von 36 cm Länge, legt sie in der Mitte zusammen und flechtet einen 3 cm langen Zopf. Dann näht ihr den Zopf oben auf dem Köpfchen fest.

2

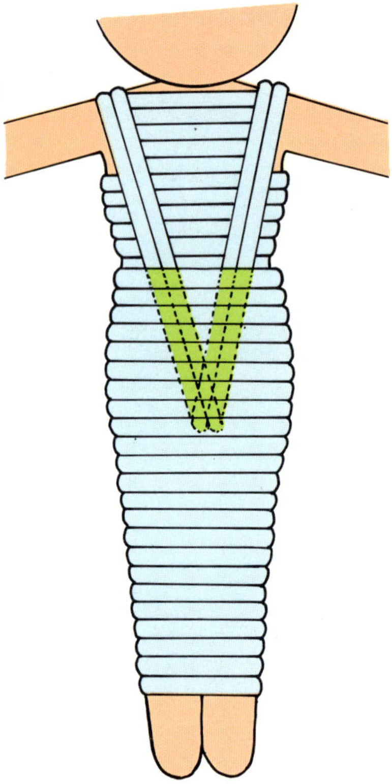

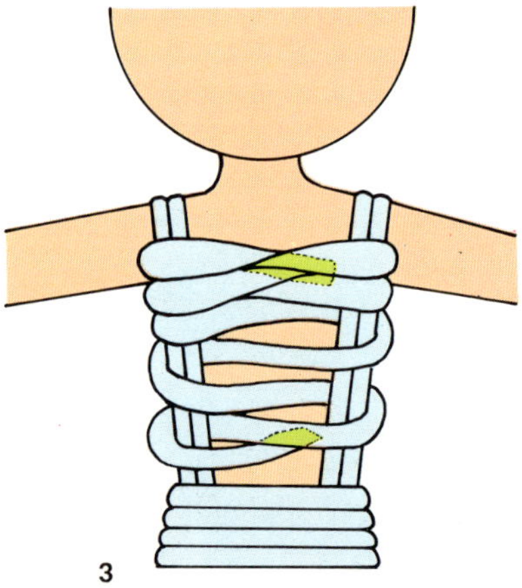

3

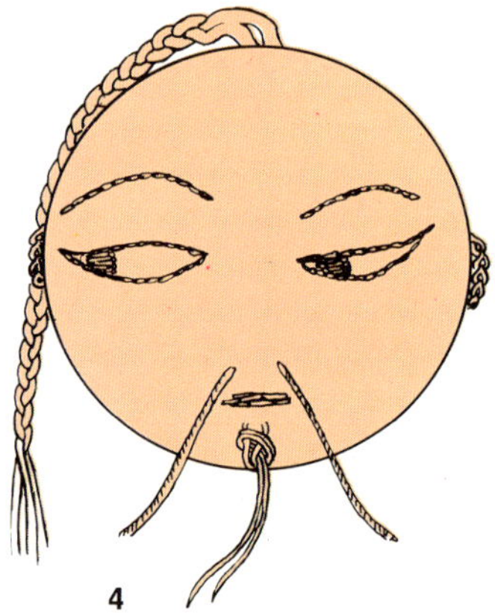

4

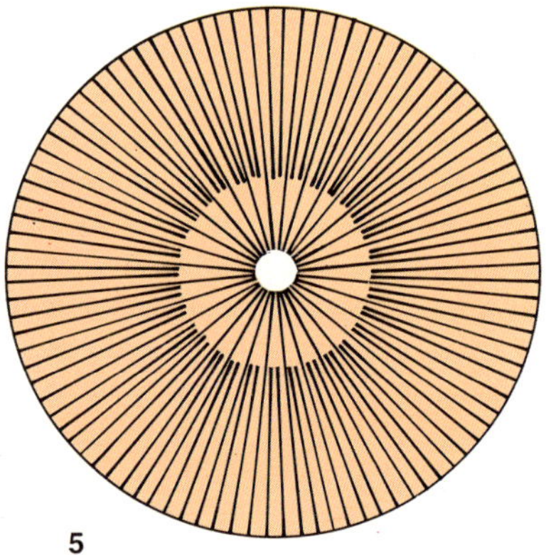

5

Oase

Nach einer langen Reise durch die Sahara kamen wir endlich an eine Oase. Ein reizendes Mädchen versorgte uns mit Essen und mit Getränken. Wir nannten sie einfach „Oase“.

Material: 2 Knäuel Cablégarn, kamelfarben; 10 g sandfarbene Shetlandwolle; etwas schwarze Wolle; 2 Spiele mit je 5 Stricknadeln Nr. 3; 1 dicke Stopfnadel.

Muster: glatt rechts (siehe Seite 8).

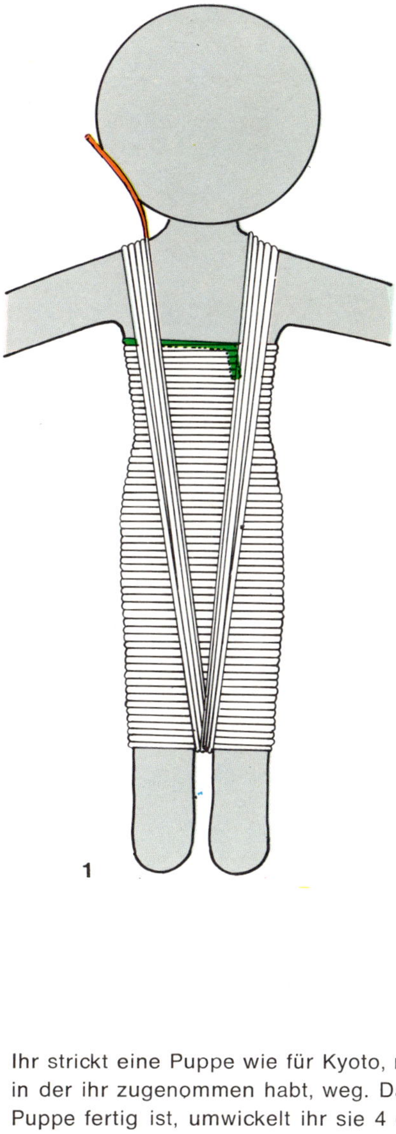

1

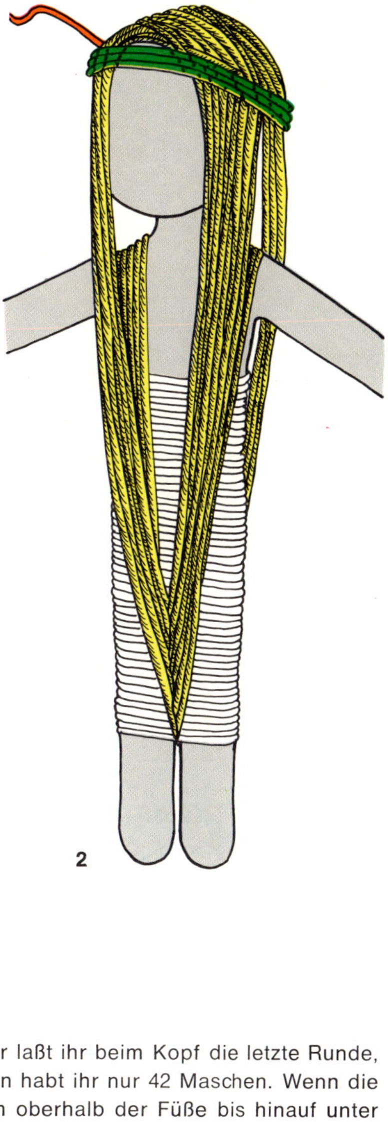

2

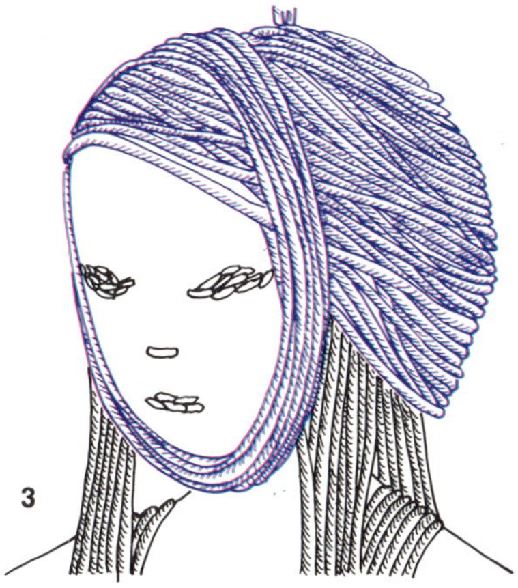

3

Ihr strickt eine Puppe wie für Kyoto, nur laßt ihr beim Kopf die letzte Runde, in der ihr zugenommen habt, weg. Dann habt ihr nur 42 Maschen. Wenn die Puppe fertig ist, umwickelt ihr sie 4 cm oberhalb der Füße bis hinauf unter die Arme mit Wolle (Zeichnung 1).
Für das Gewand wickelt ihr 12 Wollfäden von den Schultern hinunter zwischen den Beinen durch und wieder hinauf über den Kopf.
Für den Turban wickelt ihr die Wolle um den Kopf und das Gesicht und näht sie an einigen Stellen mit kleinen Stichen fest.
Die Augen stickt ihr aus schwarzer Wolle, für die Nase und für den Mund nehmt ihr die kamelfarbene Wolle.

1

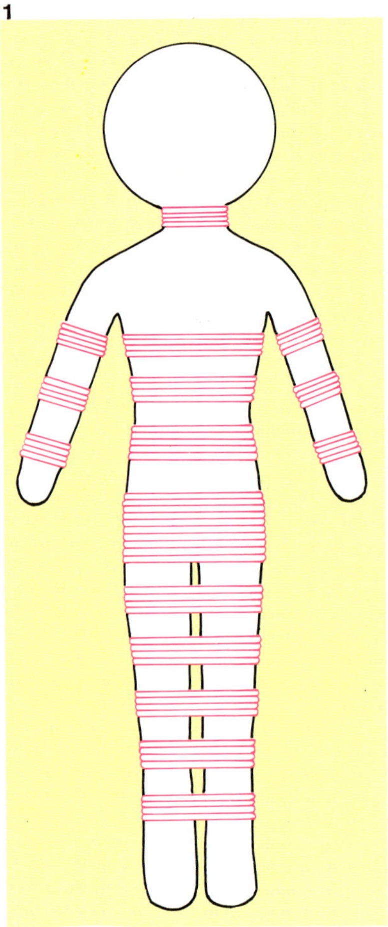

2

Suma-Suma

Auf einer Insel im Pazifik trafen wir ein hübsches Mädchen, das am Strand spazieren ging. Ihre Schwestern riefen sie Suma-Suma.

Material: 70 g weißes, mittelstarkes Schachenmayr-Garn; 10 g derselben Wolle in Rot; 5 g derselben Wolle in Schwarz; etwas schwarze Baumwolle; etwas rote Baumwolle; 2 Spiele mit je 5 Stricknadeln Nr. 3; 1 dicke Stopfnadel; 1 Sticknadel.

Muster: glatt rechts (siehe Seite 8).

Ihr strickt wieder eine Puppe wie Dolly (Seite 12) mit 7 cm langen Armen und 9 cm langen Beinen. Der Kopf ist ein bißchen kleiner. Ihr verdoppelt die 12 Maschen vom Hals und strickt eine Runde darüber, dann habt ihr 24 Maschen. In der folgenden Runde nehmt ihr nach jeder 2. Masche 1 Masche zu, so daß ihr 36 Maschen habt. Mit diesen 36 Maschen strickt ihr 17 Runden und nehmt dann genau so viel ab, wie ihr zugenommen habt. Die restlichen 12 Maschen schließt ihr wie bei Dolly.
Dann fangt ihr 3 cm oberhalb der Füße an, den Körper sorgfältig mit der roten Wolle zu umwickeln. Die Beine nehmt ihr zusammen. Am besten folgt ihr dabei genau der Zeichnung 1.
Für die Frisur wickelt ihr die schwarze Wolle um 3 Finger und dreht diesen Strang (Zeichnung 2). Den Haarknoten, den ihr so erhaltet, befestigt ihr gleich auf dem Kopf (Zeichnung 3). Dann wickelt ihr schwarze Wolle um den Kopf und über den Knoten (Zeichnung 4). Die Augen stickt ihr aus schwarzer, den Mund aus roter Baumwolle (Zeichnung 5).

3

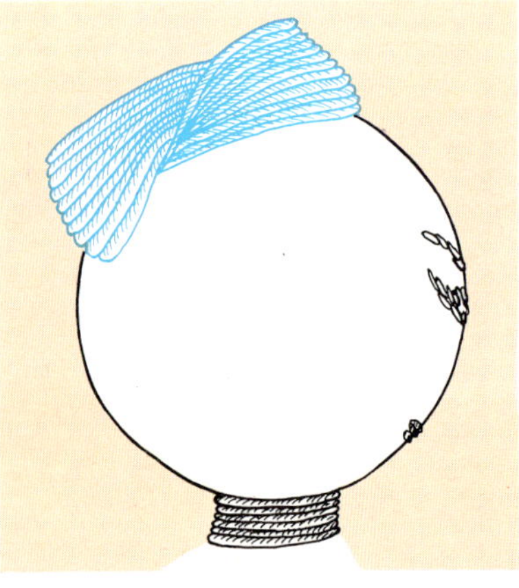

4

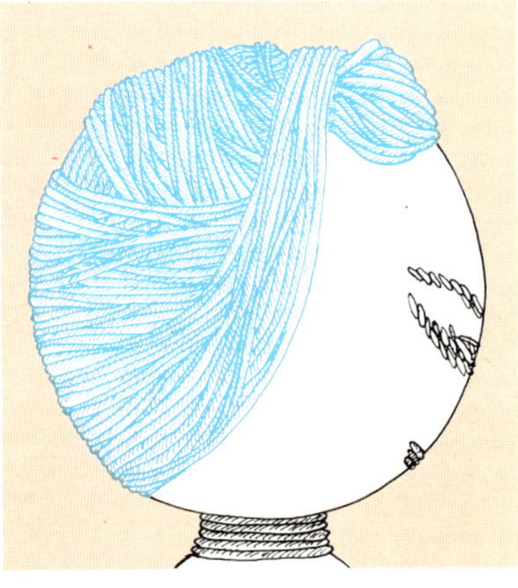

5

1

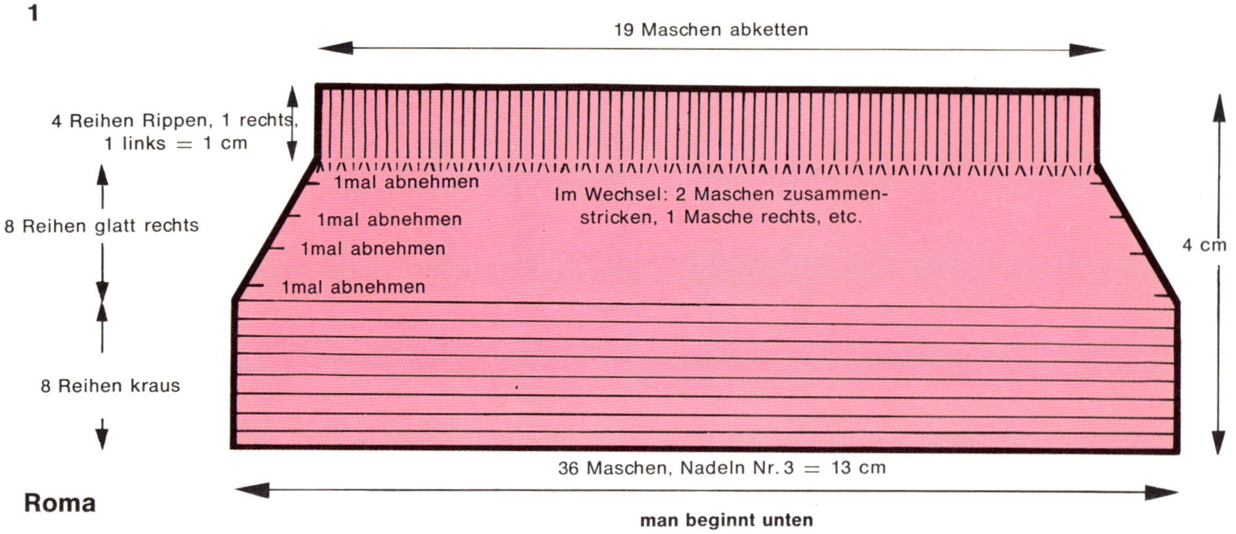

Roma

Hier ist ein kleines Bauernmädchen, das wir auf dem Land um Rom entdeckt haben. Die jungen Italienerinnen sind sehr fröhlich, und am liebsten mögen sie kräftige Farben, die in der Sonne leuchten.

Material: 70 g weißes, mittelstarkes Schachenmayr-Garn; 10 g derselben Wolle in Rot oder Orange; 10 g derselben Wolle in Grün; 20 g derselben Wolle in Schwarz; etwas blaue Baumwolle; etwas rote Baumwolle; 2 Spiele mit 5 Stricknadeln Nr. 3; 2 Stricknadeln Nr. 4; 1 dicke Stopfnadel; 1 Sticknadel.

Muster: glatt rechts; kraus; gerippt = 1 M. rechts, 1 M. links (siehe Seite 8).

Ihr strickt genau dieselbe Puppe wie für Dolly (siehe Seite 12). Am Kopf laßt ihr eine Schlinge, an der ihr nachher die Haare befestigt. 8 cm oberhalb der Füße beginnt ihr jedes Bein mit schwarzer Wolle zu umwickeln. Wenn ihr die Wolle bis zur Taille hinauf wickelt, erhaltet ihr die lustigen Bermudas. Den Rock (Zeichnung 1) strickt ihr mit Stricknadeln Nr. 3. Am besten nehmt ihr die rote oder orange Wolle dazu doppelt. Schließt die Seitennaht und zieht dann 2 Fäden durch den Rockbund, damit ihr in der Taille gut festziehen könnt.

Der Schal (Zeichnung 2) ist aus grüner Wolle mit Stricknadeln Nr. 4 gestrickt. Ihr schlagt 5 Maschen an und strickt dann 30 cm hoch immer 1 Masche rechts, 1 Masche links. An den Füßen macht ihr ein paar große Stiche mit schwarzer Wolle. Die Augen stickt ihr aus blauer, die Wimpern aus schwarzer, den Mund aus roter Baumwolle (Foto 3). Für die Frisur (Zeichnung 3) schneidet ihr ungefähr 50 Fäden von 25 cm Länge und befestigt sie an der Schlinge auf dem Kopf. Für die Fransen schneidet ihr 40 Wollfäden von 10 cm Länge, bindet sie in der Mitte fest mit einem Doppelknoten zusammen und befestigt auch sie an der Schlinge. Dann verteilt ihr die Fransen auf der Stirn. Der Kopfputz ist aus ungefähr 20 roten, grünen und weißen Wollfäden von 10 cm Länge gemacht. Ihr bindet sie in der Mitte zusammen und befestigt sie oben auf dem Kopf.

2

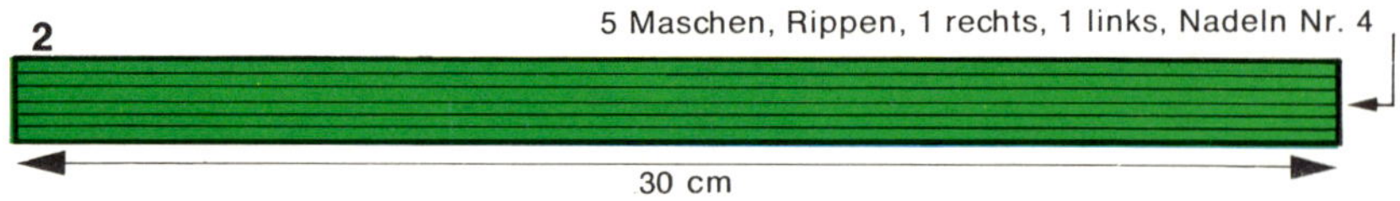

3

Bikini-Mädchen

Saint Tropez ist ein Badeort am Mittelmeer. Dort trafen wir dieses hübsche Mädchen. Sie war braungebrannt von der Sonne und trug immer einen Bikini.

Material: 2 Knäuel kamelfarbenes, mittelstarkes Handarbeitsgarn; 5 g derselben Wolle dunkelbraun; 10 g rosa Cablégarn; etwas schwarze Wolle; 2 Spiele mit je 5 Stricknadeln Nr. 3; 1 dicke Stopfnadel.

Muster: glatt rechts (siehe Seite 8).

Aus der kamelfarbenen Wolle strickt ihr eine Puppe wie für Dolly (siehe Seite 12). Für die Frisur (Zeichnung 1) schneidet ihr aus der kamelfarbenen und der dunkelbraunen Wolle 24 cm lange Fäden und näht sie in der Hälfte so auf dem Kopf an, daß ihr einen Scheitel erhaltet (Zeichnung 1). Vorne schneidet ihr einige Fäden ab, so daß die Puppe 3 cm lange Fransen bekommt. Für den Rock (Zeichnung 2) macht ihr rund um die Hüften 2 Reihen Fransen von 3 cm Länge, die ihr nicht durchschneidet. Für das Bikini-Oberteil (Zeichnung 3) wickelt ihr die Wolle unter den Armen ein paarmal um den Körper. Um die Brust zu kennzeichnen, macht ihr 4 oder 5 lange Stiche (Zeichnung 4). Dann legt ihr 6 Wollfäden um den Hals und befestigt sie vorne als Träger in der Mitte des Oberteils. Die Augen stickt ihr aus schwarzer Wolle, den Mund aus rosa Wolle. Am Schluß flechtet ihr noch einen Zopf, den ihr um den Kopf legt und auf einer Seite zuknotet.

1

3

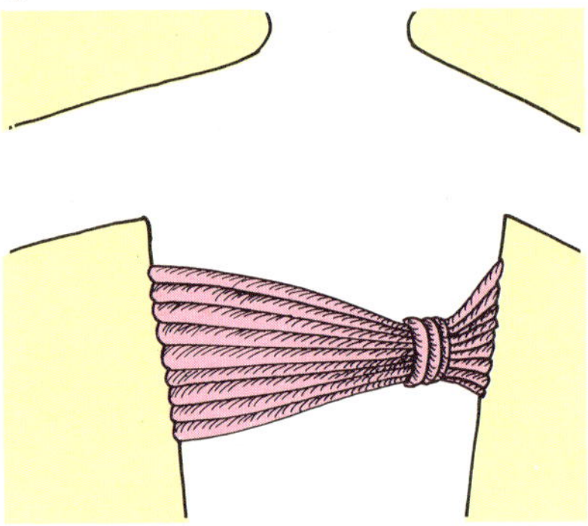

4

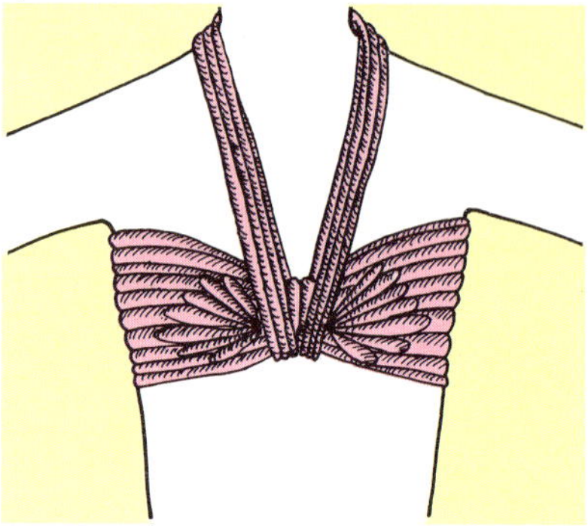

2

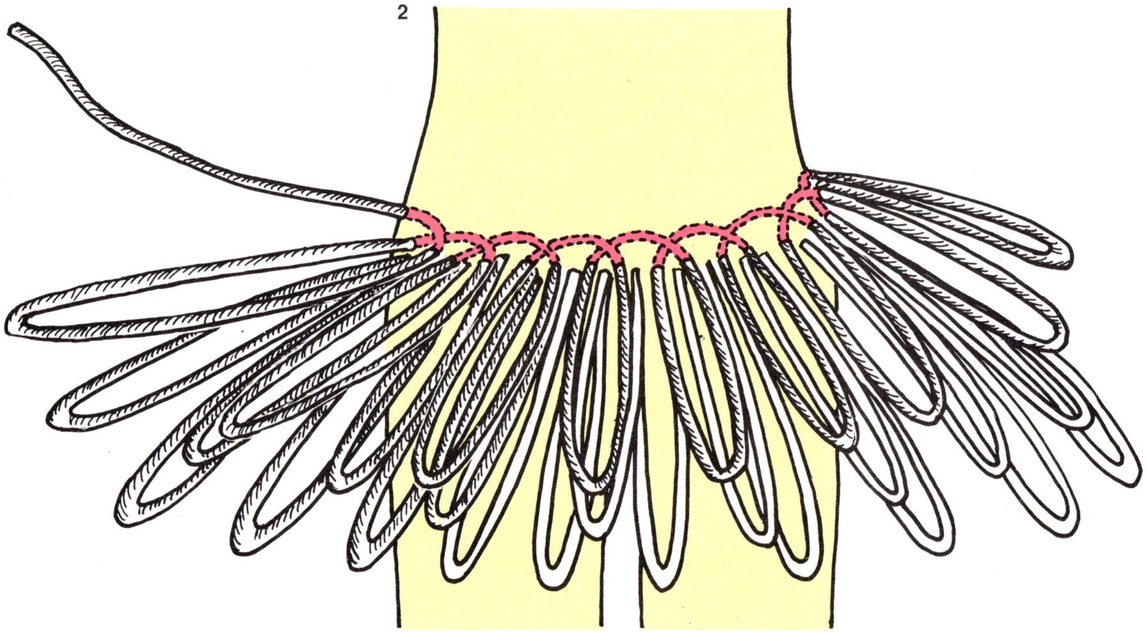

Zaza

Zaza, unsere kleine Tänzerin, kam auf den Zehenspitzen angetänzelt, um uns einen wunderschönen Walzer vorzuführen. Könnt ihr auch Walzer tanzen?

Material: 70 g weißes, mittelstarkes Schachenmayr-Garn; 30 g blaue dicke Sportwolle; 5 g derselben Wolle in Schwarz; rote Baumwolle; 2 Spiele mit je 5 Stricknadeln Nr. 3; 1 Sticknadel; 1 dicke Stopfnadel.

Muster: glatt rechts (siehe Seite 8).

Ihr strickt dieselbe Puppe wie Suma-Suma (siehe Seite 60). Dann umwickelt ihr den Körper mit der blauen Wolle (Zeichnung 1). Ihr fangt unter den Armen an und wickelt bis hinunter zum Schritt. Dort vernäht ihr den Faden. Die Arme umwickelt ihr mit der gleichen Wolle.

1

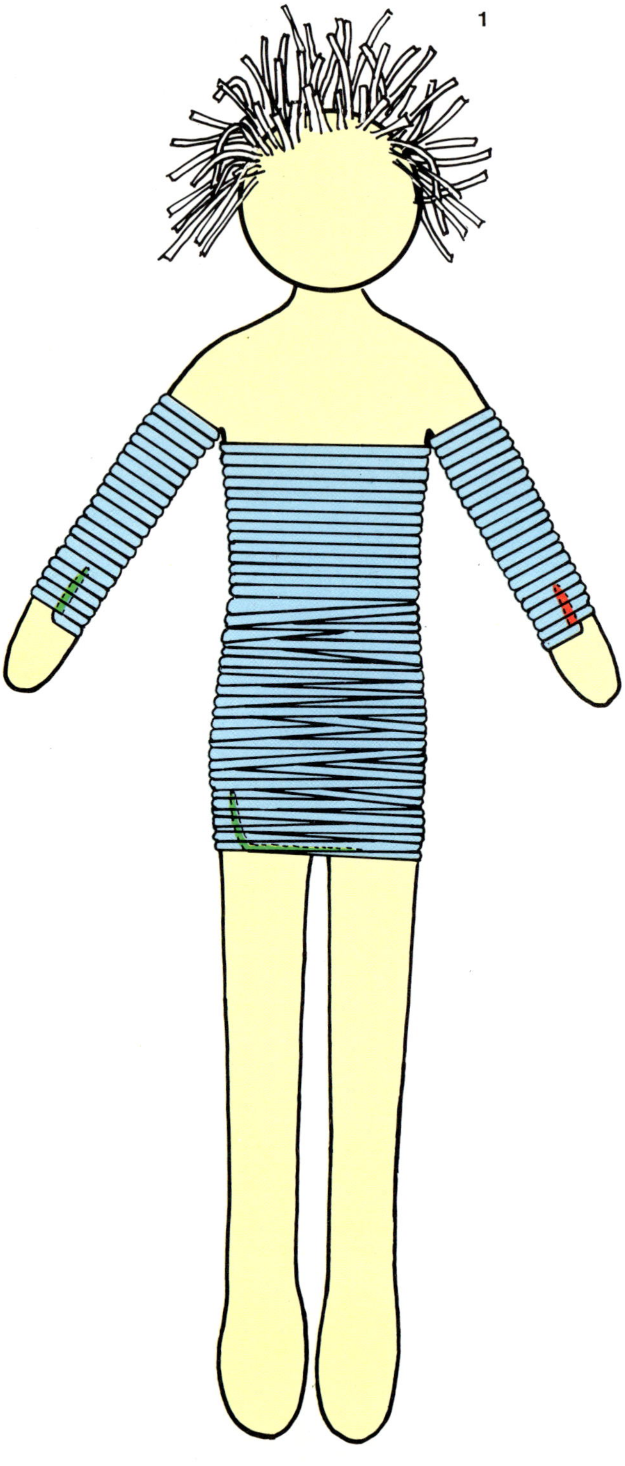

2

Für den Rock (Zeichnung 2) schneidet ihr 22 cm lange Fransen, legt sie in der Mitte zusammen und zieht sie durch einen Faden in der Taille. Dann befestigt ihr die Fransen mit kleinen festen Stichen.

Für die Halskrause schneidet ihr 12 cm lange Fransen und legt sie zur Hälfte über einen Faden, den ihr fest um den Hals knotet. Näht die Krause mit kleinen Stichen fest.

Für die Haare (Zeichnung 3) schneidet ihr schwarze Wollfäden von 10 cm Länge. Ihr legt sie in der Mitte zusammen und befestigt sie mit einer dicken Nadel auf dem Kopf.

Die Augen stickt ihr mit schwarzer Wolle, den Mund mit roter Baumwolle (Zeichnung 3).

3

Kitsch

Wenn euch dieses Püppchen auch so gut gefällt wie uns, dann bastelt es schnell und gebt ihm einen schönen Platz in eurem Zimmer. Vielleicht paßt es auf euer Bett?

Material: 15 g hellrosa, glänzendes Häkelgarn von Schachenmayr; 80 g derselben Wolle rosa; 50 g derselben Wolle dunkelrosa; 20 g derselben Wolle grün; etwas blaue Wolle; 1 Häkelnadel Nr. 6; 1 dicke Stopfnadel.

Muster: Stäbchen (siehe Seite 29).

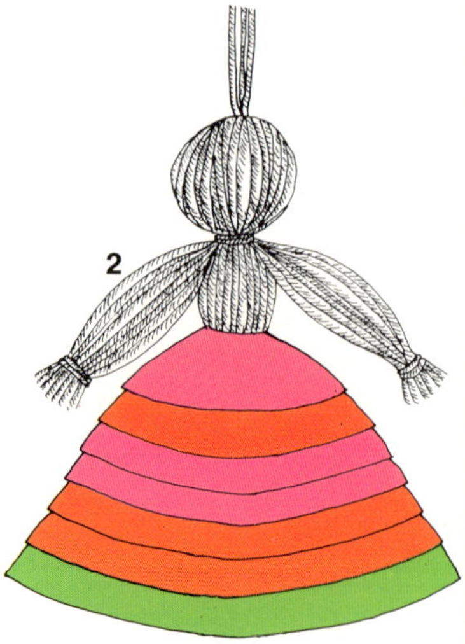

2

Rock: 7. Kreis: 9 Runden grün mit 294 Stäbchen = 39 cm

6. Kreis: 8 Runden dunkelrosa mit 220 Stäbchen = 35 cm

5. Kreis: 7 Runden rosa mit 165 Stäbchen = 31 cm

4. Kreis: 6 Runden rosa mit 124 Stäbchen = 27 cm

3. Kreis: 5 Runden dunkelrosa mit 93 Stäbchen = 23 cm

2. Kreis: rosa wie 1. Kreis + eine 4. Runde wie die 3. Runde = 70 Stäbchen = 19 cm Ø

1. Kreis: aus 3 Runden Stäbchen häkeln

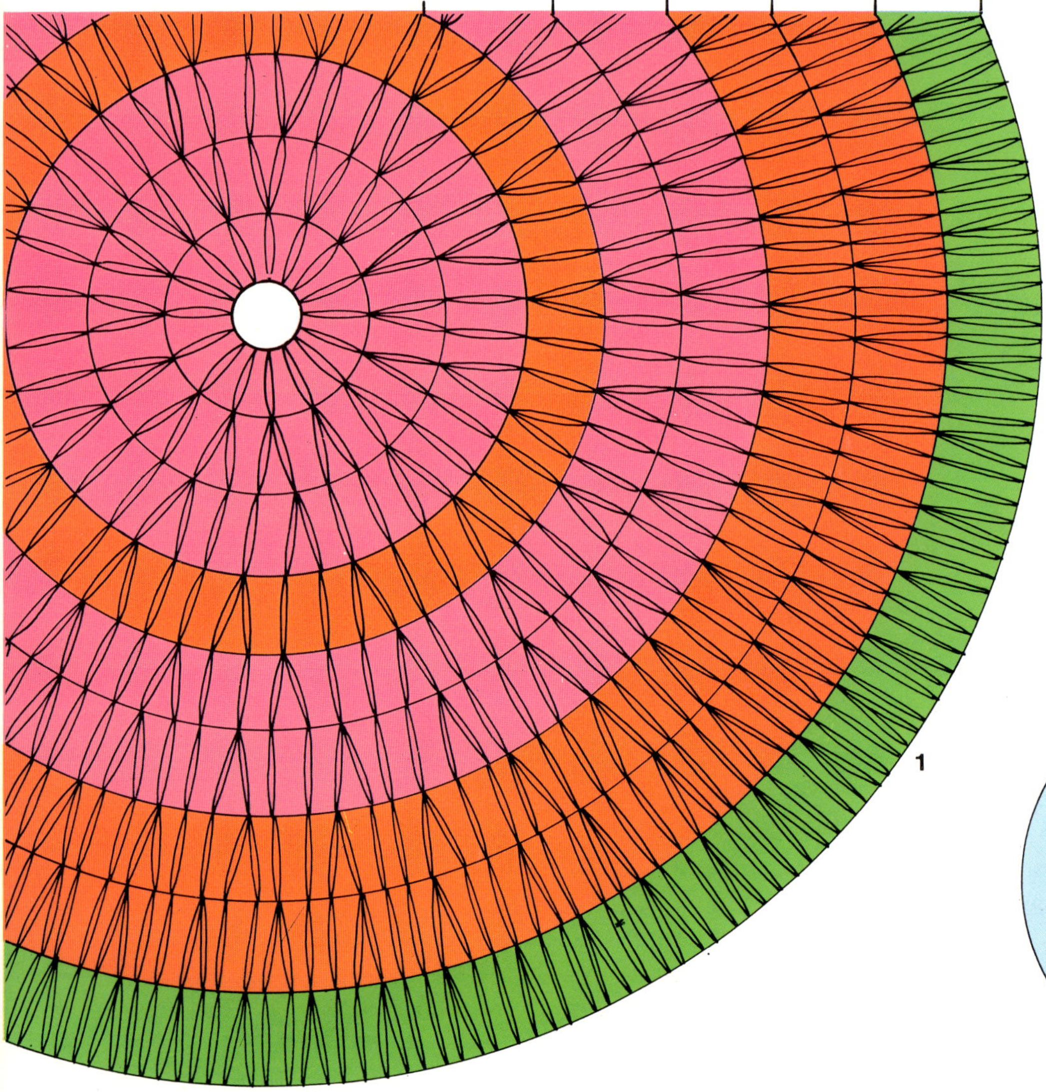

1

Hut:

1. Kreis:
12 Luftmaschen dunkelrosa
20 Stäbchen = 6 cm

2. Kreis: 2 Runden dunkelrosa,
1. Runde: wie beim 1. Kreis,
2. Runde: 1 feste Masche,
3 Luftmaschen im Wechsel

3. Kreis: mit rosa wie 1. Kreis häkeln, dann noch eine Runde mit 40 Stäbchen = 12 cm

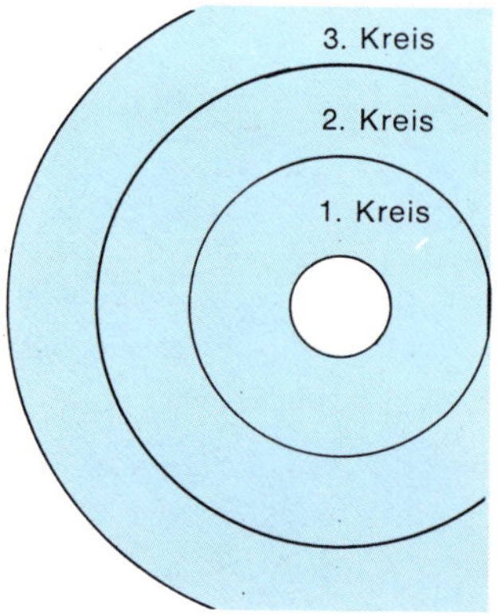

3

4

Die Puppe macht ihr wie den Minnesänger (siehe Seite 40). Ihr verwendet dazu 80 rosafarbene Fäden von 32 cm Länge, die ihr in der Mitte zusammenlegt. 3 cm unterhalb des Strangendes wickelt ihr einen Wollfaden um den Strang. So hat die Puppe schon ein Köpfchen. Für die Arme teilt ihr auf jeder Seite 25 Fäden ab, bindet jeden Arm 11 cm unterhalb des Halses zusammen und schneidet ihn 2 cm weiter unten ab. Die Augen stickt ihr aus blauem Wollfaden.

Der Rock besteht aus 7 übereinandergelegten Kreisen. Ihr häkelt dafür nur Stäbchen. Für den ersten Kreis (Zeichnung 1) häkelt ihr 3 Runden, für jeden weiteren Kreis immer eine Runde mehr. Der letzte grüne Kreis hat 9 Runden. Ihr steckt die Puppe durch alle 7 Kreise und befestigt diese in der Taille mit unsichtbaren Stichen (Zeichnung 2). Für den Hut (Zeichnung 3 und Foto 4) häkelt ihr 3 kleine Kreise. Legt sie übereinander und näht sie oben auf dem Kopf fest. Hinten befestigt ihr eine Schleife aus 3 Fäden der rosa Wolle.

Tiere

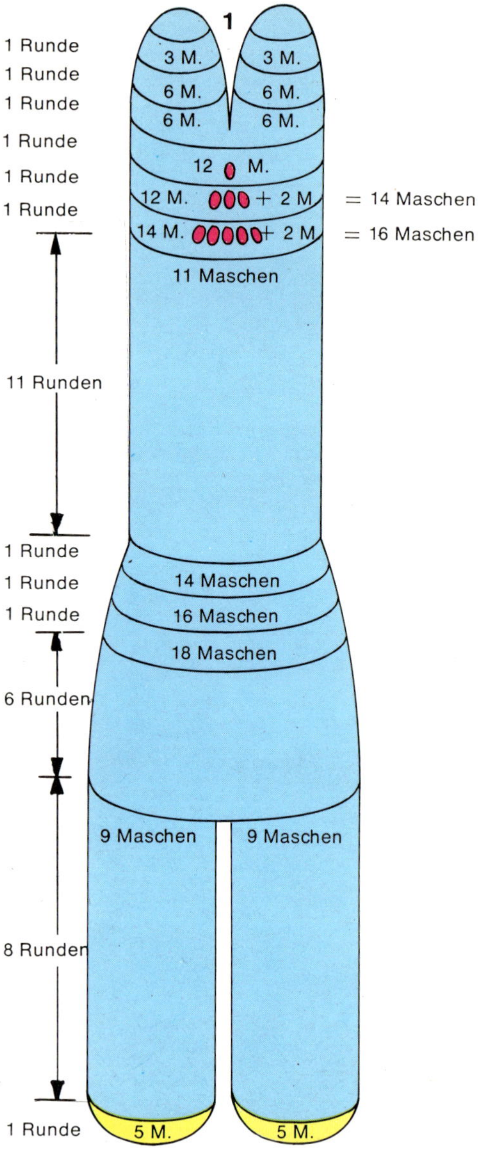

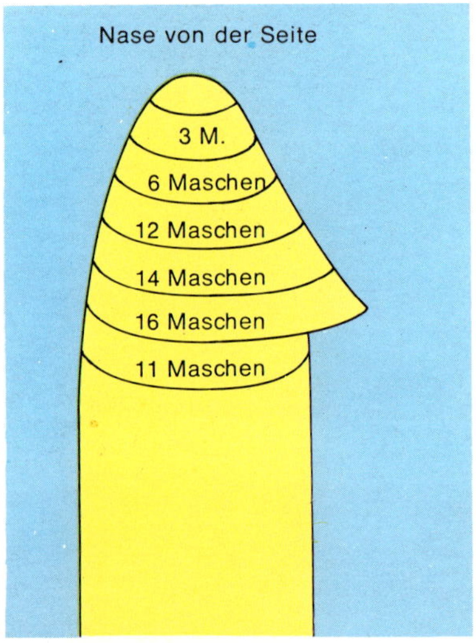

Langhals

Ein langer Hals reckt sich am Eingang des Zoos. Unsere Freundin Langhals, die Giraffe, erwartet unseren Besuch. Weil wir sie so lange ansehen, bekommen wir beinahe einen steifen Hals.

Material: 100 g naturfarbene Schnellstrickwolle; etwas schwarze Wolle; 1 Häkelnadel Nr. 6; 1 dicke Stopfnadel.

Muster: feste Maschen, bei denen ihr nur in den hinteren Faden einstecht (siehe Seite 74); Luftmaschen (siehe Seite 28).

Ihr fangt bei einem Ohr mit 3 Luftmaschen an (Zeichnung 1). In den weiteren Runden häkelt ihr lauter feste Maschen, stecht dabei nur in den hinteren Faden der Masche aus der vorhergehenden Runde ein. In der 2. Runde verdoppelt ihr jede Masche und häkelt 2 Runden mit 6 Maschen. Dann macht ihr das zweite Ohr genau wie das erste und häkelt beide Ohren zusammen. Häkelt 1 Runde mit den 12 Maschen. Für die Nase häkelt ihr dann in die mittlere Masche 3 Maschen, und in der darauffolgenden Runde häkelt ihr in die beiden Maschen rechts und links der mittleren Masche je 2 Maschen (= 16 Maschen, Zeichnung 2). In der nächsten Runde faltet ihr die Nase in der Mitte, stecht mit der Häkelnadel in die letzte Masche vor dem Zunehmen und in die erste Masche nach dem Zunehmen ein, und zieht den Faden durch beide Maschen. Jetzt häkelt ihr über die 11 Maschen 11 Runden für den langen Hals. Für den Körper nehmt ihr in der 1. Runde 3 Maschen zu, in der 2. und 3. je 2 Maschen. Mit diesen 18 Maschen häkelt ihr 6 Runden. Dann teilt ihr die Arbeit und häkelt jedes Hinterbein mit 9 Maschen 8 Runden hoch. In der letzten Runde überspringt ihr jede 2. Masche. Für die Vorderbeine (Zeichnung 3) fangt ihr mit 6 Luftmaschen an und häkelt 11 Runden.
Das Schwänzchen macht ihr aus 4 Luftmaschen (Zeichnung 4). Am Ende macht ihr einen Knoten und näht es zwischen den Hinterbeinen fest. Bevor ihr die Beine zunäht, stopft ihr die Giraffe aus und stickt ihr große Augen.
Die Vorderbeine näht ihr 24 cm unterhalb der Ohren fest.

3

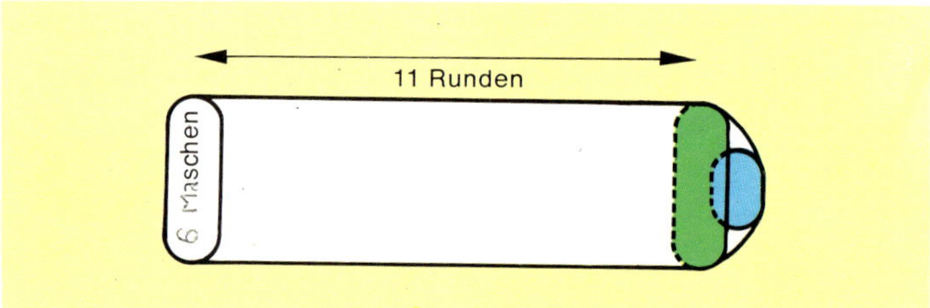

4

Brummi

In seinem Gehege mitten im Zoo erwartet uns Brummi, der Bär.

Material: 100 g rote Schnellstrickwolle; etwas schwarze Wolle; 1 Häkelnadel Nr. 6.

2

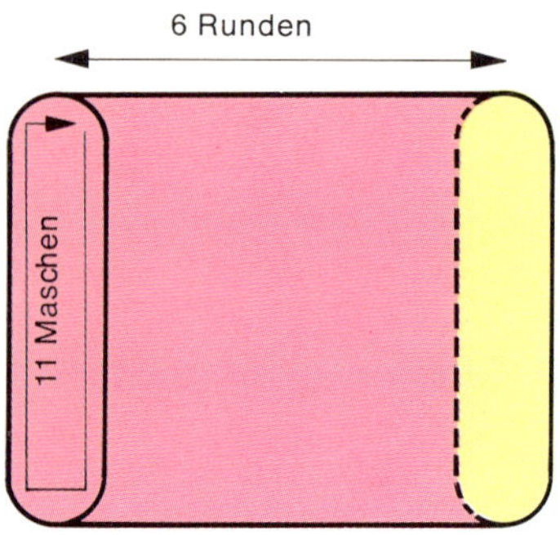

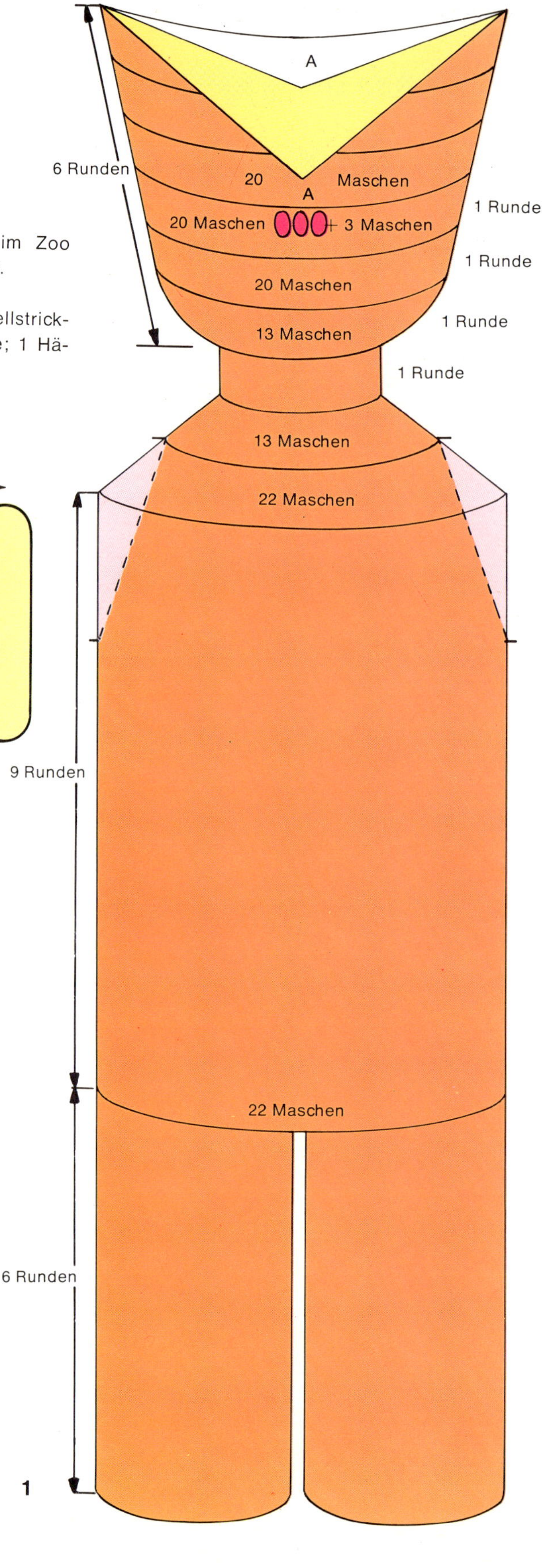

1

Muster: Luftmaschen; feste Maschen (siehe Seiten 28 und 29).

Ihr beginnt mit einem Bein (Zeichnung 1). Dafür macht ihr 11 Luftmaschen, schließt sie zum Kreis und häkelt dann lauter feste Maschen. Dabei stecht ihr nur in das hintere Fädchen der Luftmasche ein (Foto 3). So häkelt ihr 6 Runden. Dann macht ihr das zweite Bein genau wie das erste. Wenn beide Beine fertig sind, verbindet ihr sie und häkelt mit den 22 Maschen, die ihr dann habt, 9 Runden. In der 10. Runde fangt ihr mit dem Abnehmen für den Hals an. Dabei überspringt ihr nach jeder 3. Masche eine Masche, so lange, bis ihr 13 Maschen habt. Dann häkelt ihr 1 Runde mit 13 Maschen. Schon ist der Hals fertig! In der folgenden Runde nehmt ihr alle 2 Maschen 1 Masche zu, also insgesamt 7mal. Dann häkelt ihr in die mittlere Masche 3 Maschen für die Schnauze. In der nächsten Runde faltet ihr die Arbeit an der mittleren Masche, stecht mit der Häkelnadel in die Masche vor dem Zunehmen und in die nach dem Zunehmen ein und zieht den Faden durch. Mit den restlichen 20 Maschen häkelt ihr 2 Runden. Dann nehmt ihr die mittlere Masche des Rückens und zieht sie über die vordere mittlere Masche bis 1 cm über die Nase herunter. So habt ihr Brummis Ohren geformt. Ihr braucht sie nur noch zusammenzunähen. Die Arme (Zeichnung 2) häkelt ihr wie die Beine, nur fangt ihr mit 10 Luftmaschen an und häkelt 6 Runden. Am Schluß stopft ihr Brummi aus und näht die Beine zu. Die Augen und das Schnäuzchen stickt ihr mit je 3 Stichen aus schwarzer Wolle.

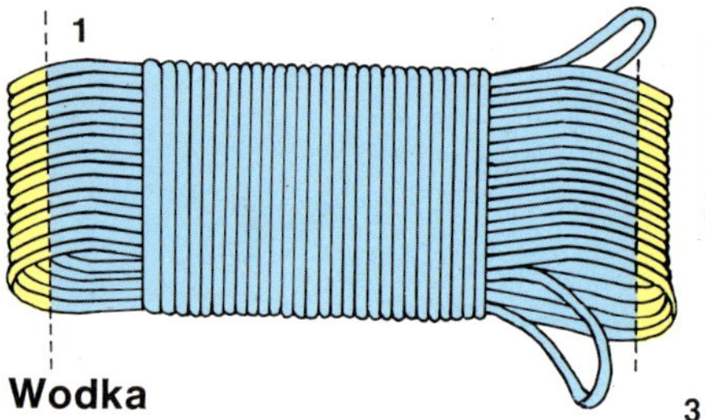

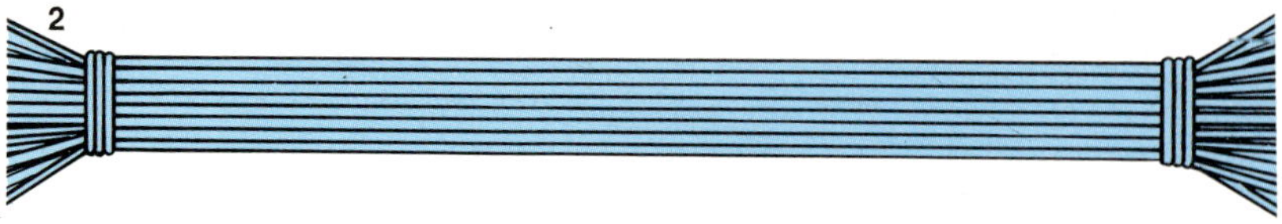

Wodka

Wodka ist mein kleiner Lieblingspudel. Ich gehe oft mit ihm spazieren, und alle bewundern dann sein hübsches Schnäuzchen. Wenn ihr den gleichen Pudel macht, werdet ihr bestimmt viel Erfolg damit haben.

Material: 100 g naturfarbene Schnellstrickwolle; 1 Stopfnadel; etwas schwarze Wolle.

Ihr fangt mit dem Kopf an (Zeichnung 1). Dafür wickelt ihr die Wolle 35mal um 4 Finger. Für die Schnauze umwickelt ihr diesen kleinen Strang 3 cm vom einen Ende entfernt einige Male mit derselben Wolle. Dabei müßt ihr die Fäden fest anziehen und das Fadenende gut vernähen. Dann schneidet ihr den Strang an beiden Seiten auf und zerzaust die Enden ein bißchen. Der dicke Teil bildet den Hinterkopf, der dünne die Schnauze. Wenn der Kopf fertig ist, schneidet ihr 80 Fäden von 55 cm Länge (Zeichnung 2). Nehmt davon 40 Fäden und umwickelt sie 2 cm von jedem Ende entfernt 3 cm breit mit Wolle. So erhaltet ihr die rechte Vorder- und Hinterpfote. Mit den anderen 40 Fäden macht ihr dasselbe.

Schneidet dann 20 Fäden von 60 cm Länge, faltet sie in der Mitte und legt sie um die Schnauze, die ihr vorher gemacht habt (Zeichnung 3). Für den Hals umwickelt ihr dann diese 40 Fäden in 10 Runden fest mit Wolle (Zeichnung 4). Die beiden Stränge mit den Pfoten bindet ihr 20 cm von jedem Ende entfernt zusammen und legt dann den anderen Strang mit dem Kopf dazu. Umwickelt den Körper 12 cm breit mit Wolle. Dabei dürft ihr die Wolle nicht so fest anziehen wie beim Hals, denn der Körper soll einen Umfang von ca. 14 cm haben. Für den Schwanz umwickelt ihr 10 Fäden des Körpers 3 cm weit sehr fest. Am Ende laßt ihr eine kleine Quaste stehen. Die restlichen Fäden schneidet ihr direkt unterhalb des Schwanzes ab. Am Schluß zerzaust ihr auch die Pfoten ein bißchen.

Die Augen und die Nase stickt ihr mit schwarzer Wolle.

Für die Ohren macht ihr rechts und links am Kopf zwei große dicke Schlaufen aus Wolle.

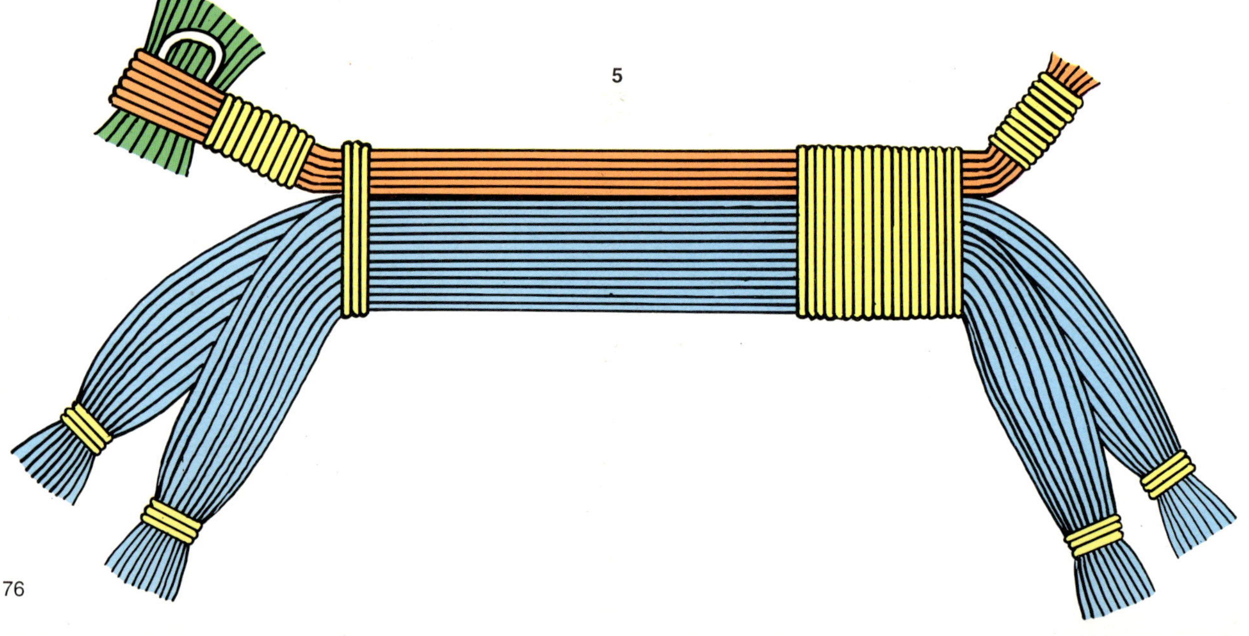

Schlappohr

Hunde haben gerne Spielkameraden. Laßt Wodka und Schlappohr einmal miteinander spielen. Ihr werdet sehen, daß sie wilde Verfolgungsjagden veranstalten. Wenn sie dann müde sind, kuscheln sie sich in euren Arm.

Material: 50 g rote Schnellstrickwolle; etwas schwarze Wolle; etwas gelbe Wolle.

Ihr fangt wie bei Wodka (Seite 76) mit dem Kopf an. Wickelt die Wolle 25-mal um eine Hand und umwickelt dann den ganzen Strang mit der gleichen Wolle. Schneidet den Strang vorne an der Schnauze auf.

Dann schneidet ihr 24 Wollfäden von 25 cm Länge. Nehmt davon 12 Fäden und macht in beide Enden einen Knoten (Zeichnung 2). Dasselbe macht ihr mit den restlichen 12 Fäden. Jetzt schneidet ihr 20 Fäden von 40 cm Länge, faltet sie in der Mitte und legt sie um die Schnauze. Haltet die Fäden sehr fest und umwickelt sie 2 cm weit mit Wolle. Dabei müßt ihr die Wolle fest anziehen. Jetzt hat euer Hund schon einen Hals. Nun bindet ihr die beiden Vorderpfoten 11 cm von den Enden entfernt zusammen und legt den Strang, der Hals, Körper und Schwanz bildet, dazwischen (Zeichnung 3). Dann wickelt ihr die Wolle 10 cm weit um den Körper, zieht dabei aber nur so fest an, daß der Körper einen Umfang von 10 cm hat.

Jetzt müßt ihr nur noch den Schwanz machen. Dafür nehmt ihr 12 Fäden vom Körper und umwickelt sie 2 cm weit sehr fest. Am Ende laßt ihr eine Quaste von 1 cm Länge stehen und zerzaust sie. Die restlichen Fäden schneidet ihr direkt unterhalb des Schwanzes ab.

Die Augen (Zeichnung 1) stickt ihr mit schwarzer und gelber Wolle. Für die Schlappohren schneidet ihr 4 Fäden von 28 cm Länge, legt sie in der Mitte zusammen und befestigt sie auf jeder Seite des Kopfes (Zeichnung 1).

1

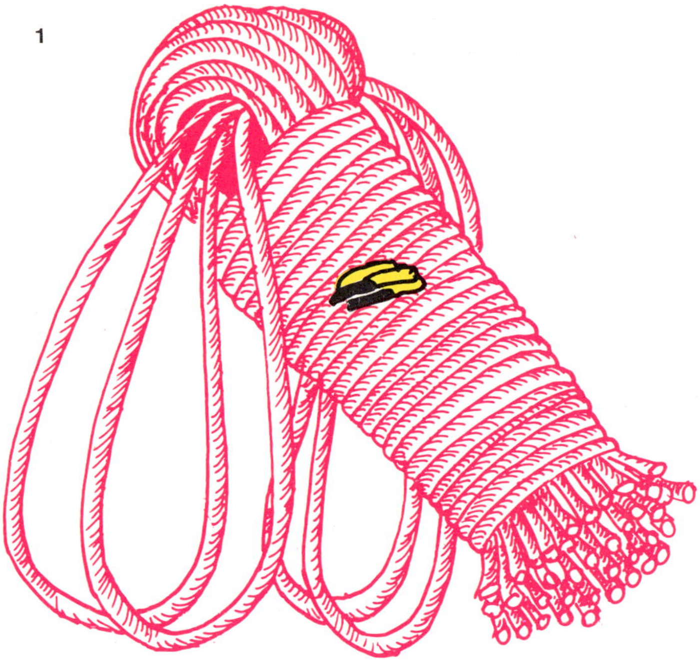

2

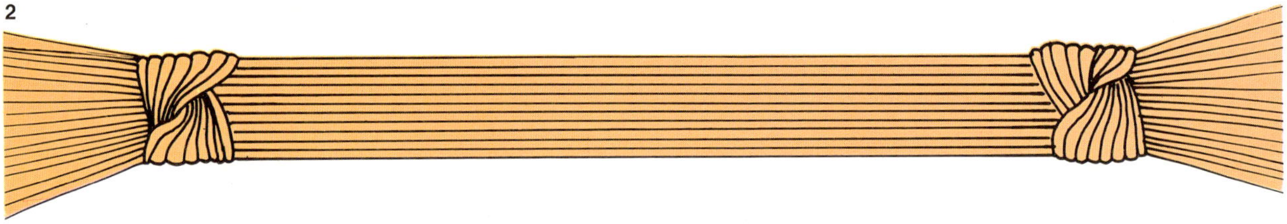

3

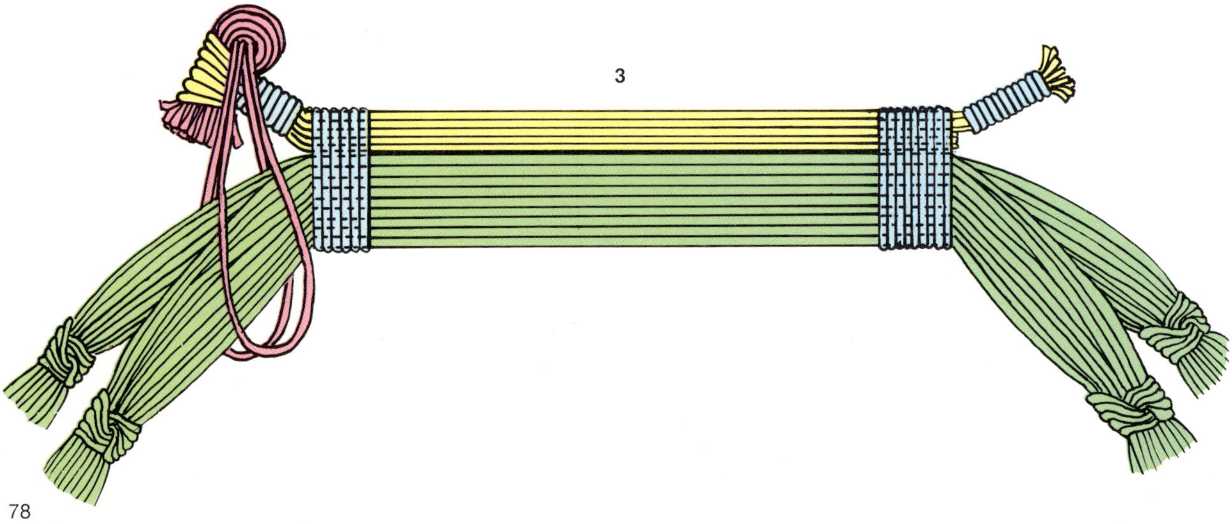

Meisterwerke

Auf den folgenden Seiten zeigen wir euch einige Meisterwerke. Sie sind oft durch Zufall entstanden, und wir können sie deshalb nicht so genau beschreiben wie die Puppen, die ihr bis jetzt kennengelernt habt. Nun seid ihr an der Reihe, selbst Figuren und Tiere zu erfinden und eure eigene Galerie der „Meisterwerke“ entstehen zu lassen.

Die Henne

Sie ist nicht aus einem Ei geschlüpft, sondern aus einem Bouclégarn entstanden.
Wir haben die Wolle um den Unterarm gewickelt (siehe Seite 36) und erhielten einen riesigen Strang. Als wir ihn vom Arm herunterzogen, wurde er rundlich und nahm die Umrisse des Bauches einer dicken Henne an.
Wir mußten nur noch den Kopf formen, indem wir mit einem Faden den Hals einschnürten. Einen anderen Faden banden wir 4 cm darüber um den Kopf und erhielten so den Kamm. Wir schnitten den Kamm auf und schnitten die Fäden gleichmäßig ab. Für die Flügel haben wir viele Fäden zusammen durch den Bauch der Henne gezogen. Die Augen sind ganz einfach aus einem Faden roter Wolle, in den 2 Schlingen geknotet sind, gemacht.
Auch ihr könnt eigene Figuren erfinden und ganz frei formen. Verdreht doch einmal einen Wollstrang oder drückt einen Knäuel ein bißchen und schaut euch an, was daraus entstehen könnte.

Annemarie

Ihr besitzt jetzt viele Fähigkeiten, die euch erlauben, mit ganz wenigen Erklärungen eine Puppe wie Annemarie zu machen. Zum Beispiel könnt ihr häkeln.

Die Beine und Arme sind genau dieselben wie bei Brummi (Seite 74), nur viel länger. Außerdem nehmt ihr dünnere Wolle. Ihr macht für die Beine je 15 Luftmaschen und häkelt 19 Runden feste Maschen, bei denen ihr nur in den hinteren Faden einstecht. Dann häkelt ihr die Beine zusammen und macht für den Körper 19 Runden aus blauer Wolle. An den Schultern überspringt ihr im Verlauf von 4 Runden jede 4. Masche und häkelt dann am Hals 2 Runden mit 12 Maschen. Der Kopf ist aus weißer Wolle gehäkelt. Ihr verdoppelt dazu die 12 Maschen vom Hals und nehmt in der folgenden Runde noch einmal 6 Maschen zu. Mit diesen 30 Maschen häkelt ihr 9 Runden hoch und überspringt dann jede 2. Masche, bis euch noch 10 Maschen bleiben. Durch diese Öffnung stopft ihr die Puppe aus.

Die Arme werden wie die Beine gehäkelt. Ihr fangt mit 13 Luftmaschen an und häkelt 7 Runden mit weißer Wolle, dann macht ihr aus der blauen Wolle die Ärmel. Ihr nehmt dafür in der 8. Runde 5 Maschen zu und häkelt noch 15 Runden. Dann häkelt ihr um die Ärmel und um den Saum des Kleidchens eine Reihe Stäbchen, in der ihr alle 5 Maschen 1 Masche zunehmt.

Auf dem Kopf befestigt ihr einen dicken Zopf aus gelber Wolle. Aus der blauen Wolle häkelt ihr ein kleines Hütchen. Vergeßt nicht die Augen und den Mund!

So, jetzt ist Annemarie fertig und kann mit euch spielen.

Liese

Ihr habt Schwierigkeiten mit dem Aufräumen? Ihr wißt nicht, wo eure Sachen hingekommen sind? Liese (abgebildet auf der nächsten Doppelseite) kommt euch zu Hilfe. Sie ist nützlich und dekorativ und besitzt auch sonst nur gute Eigenschaften.

Material: 350 g dünnes Häkelgarn in Grün für den Untergrund; 100 g derselben Wolle rosa und 100 g lila für das Kleid und die Strümpfe; 50 g derselben Wolle pink für den Hut; 100 g derselben Wolle gelb für den Zopf; je 1 Häkelnadel Nr. 3, Nr. 4, Nr. 5; 1 Hartfaserplatte von 65 x 90 cm; 1 dicke Stopfnadel.

Muster: Halbe Stäbchen; feste Maschen (10 Maschen = 6 cm). Für den Untergrund häkelt ihr mit der Häkelnadel Nr. 3 und der grünen Wolle 150 Luftmaschen (= 90 cm) und häkelt 65 cm hoch lauter halbe Stäbchen. Mit diesem Rechteck überzieht ihr die Hartfaserplatte.

Für den Rock nimmt man die Wolle doppelt und häkelt mit der Häkelnadel Nr. 5 feste Maschen: 2 Reihen lila, 2 Reihen rosa. Ihr fangt mit 70 Luftmaschen (= 53 cm) mit der lila Wolle an und nehmt dann alle 4 Reihen auf jeder Seite 1 Masche ab. Wenn der Rock 28 cm lang ist, hört ihr auf zu häkeln und näht in der Taille einen 4 cm breiten Saum, durch den ihr dann ein 26 cm langes Gummiband zieht. Das Gummiband kräuselt den Rock und bildet eine große Tasche.

Das Oberteil ist aus rosa Wolle gehäkelt, die ihr wieder doppelt nehmt. Macht mit der Häkelnadel Nr. 5 35 Luftmaschen (= 24 cm) und nehmt dann in jeder 8. Reihe auf beiden Seiten 1 Masche zu. Das Oberteil soll 32 cm hoch werden.

Für die Ärmel macht ihr 18 Luftmaschen, häkelt 2 Reihen mit der lila Wolle und 2 Reihen mit der rosa Wolle und näht dann die Ärmel am Oberteil fest.

Die Arme sind aus Luftmaschenketten gemacht. Wir haben dazu die Wolle 4fach genommen und mit der Häkelnadel Nr. 5 gehäkelt. Ihr häkelt je 2 Ketten von 40 cm Länge und 26 cm Länge und näht sie mit unsichtbaren Stichen auf dem Untergrund fest (siehe Foto).

Für den Hut nehmt ihr die pink Wolle doppelt und häkelt mit der Häkelnadel Nr. 4 3 Luftmaschen, die ihr zum Kreis schließt. Weiter häkelt ihr lauter feste Maschen und nehmt so viel zu, daß ein flacher Kreis von 40 cm Durchmesser entsteht. 9 cm vom Rand entfernt zieht ihr ein Band ein, durch das die Wölbung entsteht. Der Hut wird mit Wolle ausgestopft. Am Schluß näht ihr eine lila Kordel mit einer bunten Quaste um den Hut.

Die Strümpfe sind gestreift wie der Rock. Ihr fangt mit 14 Luftmaschen an und häkelt 16 cm hoch. Dabei nehmt ihr jede 6. Reihe 1 Masche zu. Dann näht ihr die Strümpfe auf den Untergrund, schlagt aber an beiden Seiten und unten 2 cm ein, damit eine Tasche entsteht.

Für den Zopf nehmt ihr zwei gelbe Wollknäuel und macht daraus einen Strang von 140 cm Länge. Legt ihn in der Mitte zusammen und flechtet daraus einen dicken Zopf, den ihr unter dem Hut festnäht. Bindet den Zopf mit einer lila Luftmaschenkette zusammen.

M.BANIER

Love Story

Diese beiden Puppen haben beschlossen, ihr ganzes Leben eng umschlungen zu verbringen. Sie wurden beide nach dem Modell auf den Seiten 39 und 40 gemacht. Ihre Arme sind zusammengeflochten, und ihre Köpfchen schmiegen sich zärtlich aneinander.
Weil sie in den Farben so gut zueinander passen, sollen sie immer zusammen bleiben. Der Kopf des Jungen ist aus derselben Wolle wie das Mädchen gemacht. Für die lockigen Haare muß man die Wollfäden mit einer Nadel teilen. Die Augen, die Halsbänder und der Gürtel sind bei beiden gleich.
Aber auch Gegensätze ziehen sich an, und ihr könnt eurer Phantasie freien Lauf lassen, wenn ihr solche Paare bastelt.

Der gestiefelte Kater

Schaut euch auf der nächsten Doppelseite den Kater aus dem Märchen gut an. Wir haben ihn aus riesigen Wollsträngen und sehr dicker Wolle gemacht (natur für den Körper, rot für den Umhang und grün für den Dreispitz). Für den Kopf nehmt ihr einen ganzen Wollknäuel. Ihr müßt ihn gut ansehen, damit ihr den richtigen Platz für die Nase findet und für die Ohren die richtigen Fäden herauszieht. Für den Dreispitz haben wir mit einem Luftmaschenkreis von 2 cm Durchmesser angefangen und regelmäßig zugenommen.
Nichts ist einfacher als die Stiefel: es sind zwei gelbe Wollknäuel.
Der Umhang besteht aus dicken Fransen, die ihr nicht auseinanderschneidet. 3 cm unterhalb vom einen Ende häkelt ihr die Fransen zusammen, um den Kragen zu bilden.
Die Halskrause ist eine große bunte Quaste.

Und jetzt könnt ihr euch tausend andere Figuren ausdenken und ganz auf eure Art herstellen. Die Fingerfertigkeit dazu habt ihr jetzt bestimmt, nachdem ihr dieses Buch gelesen und vielleicht schon ein paar der Puppen gebastelt habt.

Schachenmayr Wolle
NOMOTTA Alanda
So wird Handarbeiten zu einem liebenswerten Hobby.
Bitte schreiben Sie uns. Prospekte erhalten Sie kostenlos.
Ihre Kammgarnspinnerei
SCHACHENMAYR, MANN & CIE. GMBH
7335 Salach, Postfach 1160
Schachenmayr
NOMOTTA®